JN121908

まちごとインド
西インド004

ジャイサルメール
砂漠に浮かぶ「黄金都市」
［モノクロノートブック版］

年間降水量150mm、ほとんど雨の降らない乾燥した大地が続くラジャスタン西部。ジャイサルメールはどこまでも続く砂漠に忽然と現れるオアシス都市で、1156年、ラージプート族のラーオ・ジャイサルによって築かれた（「ジャイサル王の岩」を意味する）。

　インドからパキスタンへ続くタール砂漠の中心に位置するジャイサルメールは、長らくインド中央部とアラビア海、中央アジアを往来する隊商の交易拠点となって

きた。台地上に築かれた街には、交易で富を得た商人による邸宅や寺院がならび立ち、黄色砂岩一色で彩られている。

　こうしたジャイサルメールも、スエズ運河の開通による海運の発達（ムンバイの台頭）、1947年の印パ分離独立によってひかれた国境線が壁となって急速に衰退していった。街は「陸の孤島」と化したが、それゆえ中世の姿をそのまま残す稀有な都市となっている。

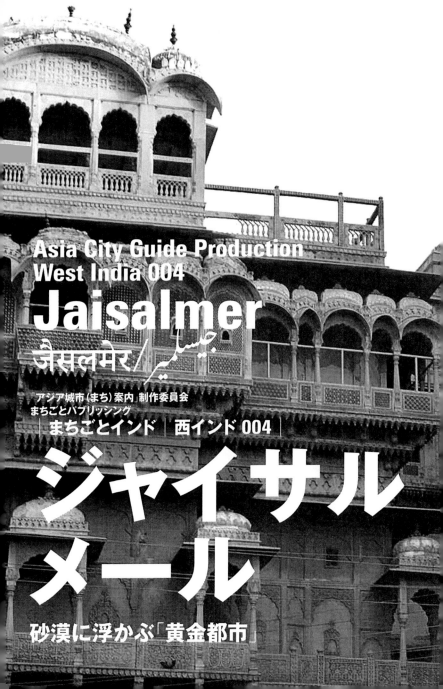

Asia City Guide Production
West India 004

Jaisalmer

जैसलमेर / جیسلمیر

「アジア城市（まち）案内」制作委員会
まちごとパブリッシング
｜ まちごとインド ｜ 西インド 004 ｜

ジャイサル
メール

砂漠に浮かぶ「黄金都市」

Contents

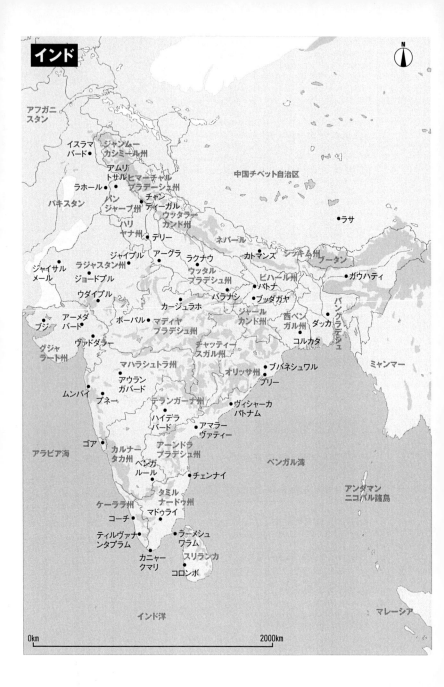

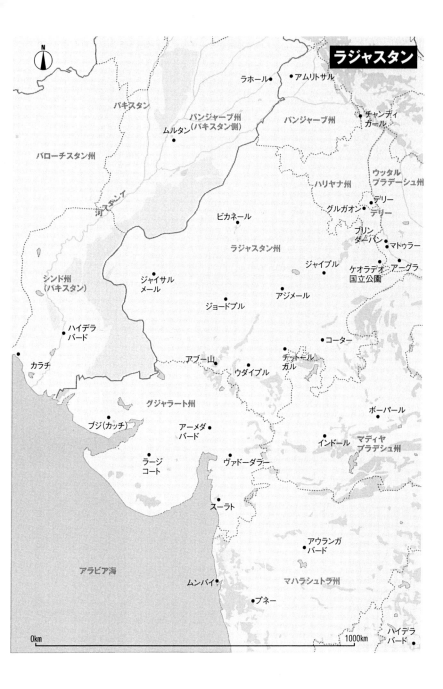

とまったままの時計の針

パキスタンとの国境まで100㎞
そこには化石にもたとえられ
タイムカプセルされた街が残る

砂漠の隊商都市

　ジャイサルメールはタール砂漠のなかでも大きいガ
ディサール・レイクのそばに築かれている。イスラム諸王
朝が興亡を繰り返した12～16世紀は、砂漠を抜けるルー
トのほうがより安全だったと言われ、西方へ通じるこの
オアシス都市に商人たちが拠点を構えた（かつてジャイサル
メールから、インダス川流域のサッカルとハイデラバードへ抜けるふた
つのルートがあった）。宝石や金銀細工、絹、アヘン、香料、イン
ディゴといった商品がジャイサルメールに集散され、道
は遠くヨーロッパへ続いていた。過酷な乾燥地帯にあっ
ては農業と牧畜を営むだけでは限りがあるため、貿易商
人、手工業者、人々を楽しませる音楽師や語り部も集ま
り、独特の社会を形成していた。

保存されたゴールデン・シティ

　1947年の印パ分離独立を受け、街の西100㎞に国境線
が走ったことから、ジャイサルメールは西インド最果て
の袋小路に位置する地理をもつ。街の中心のフォート、旧
市街の建物ともに地元で産出される黄色砂岩（ジャイル・ス
トーン）を素材とし、大地と同じ色で統一されていること

から「ゴールデン・シティ」の愛称をもつ。街は隣家と壁を接する密集した都市を構成し、12世紀以来のジャイサルメール・フォートはラジャスタン城砦都市のなかでチットールガルについで2番目に古いという性格ももつ。現在はチットールガル、クンバルガル、サワイマドプル（ランタンボール）、ジャラワール、ジャイプル（アンベール）とともにラジャスタンの丘陵城砦群として世界遺産に登録されている。

キャメル・サファリで砂漠地帯へ

　インドからパキスタンへと続くタール砂漠は、摂氏45度にもなる灼熱の夏、最低気温5〜10度までさがる冬という環境をもつ。わずか150mmの年間降水量のほとんどは雨季(7〜8月)に集中し、雨が一滴も降らない年すらあるという。こうした過酷な環境を往来するのがラクダで、背中のコブに脂肪を蓄え、数日間、水を飲まずに歩くことのできる砂漠に適した動物となっている。ジャイサルメールはインドでも有数のラクダの産地と知られ、ジャイサルメールを基点とするキャメル・サファリでは、どこまでも続く砂丘の稜線を「ラクダのキャラバンがゆく」といった世界に触れることができる。

砂漠のファッション

　ラジャスタンでは、女性の額につける額飾り(ボールラー)、鼻のピアス、イヤリング、ネックレスなどの宝石や金銀細工、手や足にほどこした赤色の文様メヘンディ、ブロック・プリントのほどこされたスカートなどの女性の装いが見られる(また男性のターバンは8〜14mもあるとされ、王族のものは羽飾りや宝石があしらわれている)。これらの装いは、未婚時、結婚後など人生の決まった段階、年齢と社会的地位で

黄色砂岩製の邸宅ハーヴェリー、街は黄金色で彩られている

ジャイサルメール・フォートではさまざまな人に出合える

砂漠をゆくキャメル・サファリ

ガディサール湖、この水が街の水源となってきた

変化するという。鮮やかなファッションは、単純な景色の乾燥地帯に特有のもので、ラジャスタン、グジャラートからパキスタンのシンド地方にまで見ることができる。とくにジャイサルメールのバティ・ラージプート女性の美しさ、知性の高さはラジャスタンでも広く知られる。

ジャイサルメールのバティ・ラージプートとは

　ジャイサルメールを築いたバティ・ラージプートは、クリシュナ神の子孫を自認する月族のヤドゥ・ラージプートの氏族にあたる(彼らの伝説では、ヤドゥ・ラージプートはバラナシ、マトゥラーはじめ、ロドルヴァ、ジャイサルメールをふくむ9つの砦を築いて支配したという)。『マハーバーラタ』で描かれた戦いでマトゥラーから脱出した一族は、アフガニスタンのガズニにいたが、ホラーサンの王に敗れてパンジャーブ地方に遷り、王サリヴァハンが583年、サリヴァハナ(シアルコート)を都とした。彼の孫の第5代バティ王はあたりの部族を征服して、623年に新たな暦も制定したという。バティ・ラージプートという名前はこの王に由来する。そしてバティ・ラージプート族は10世紀、タール砂漠中央の拠点ロデルヴァを奪取し、ここにジャイサルメール以前の都をおいた。その後、イスラム勢力が中央アジアから豊かなグジャラートへ向かう侵攻の途上にロドルヴァを陥落させることが続き、1156年、ジャイサル王がロドルヴァから15kmほど離れたこの地に城砦を築き、ジャイサルメールと名づけた。

ジャイサルメールの構成

　1156年、ジャイサルメールの地が都に選ばれたのは、この地にオアシスになる「(水がたまる)凹状の窪地」と、軍事防衛上「城砦都市に適した台地(現在のフォート)」があったこ

とによる。街がつくられるにあたって、宮殿、街の機能すべてが台地上につめ込まれ、人々はカーストごとに住まいを構えた。その後、フォート城下に市街が形成され、周囲に市壁がめぐらされた(外側の市壁は建築資材として使われたため、現在ではほとんど残っていない)。20世紀以降、この旧市街の東側に鉄道駅、西側に宮殿やホテルがつくられ、現在は観光都市の性格が強い。ジャイサルメール郊外の砂漠地帯には、バダ・バーグ、アマル・サーガル、ムル・サーガルといった王家と結びついた庭園(オアシス)が点在し、またパキスタンに近い立地から、空軍基地がおかれるなど軍事上の要衝となっている。

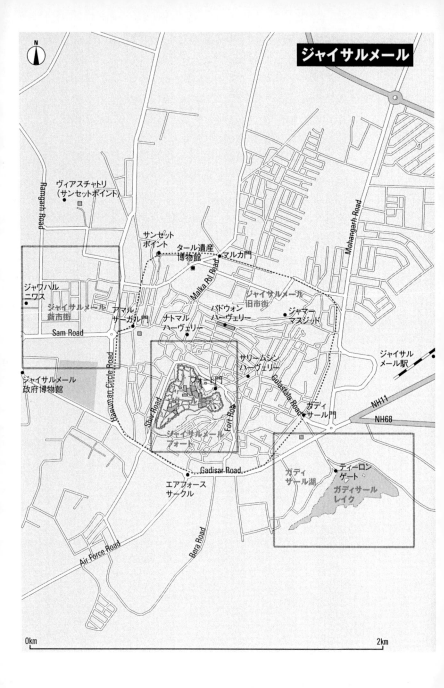

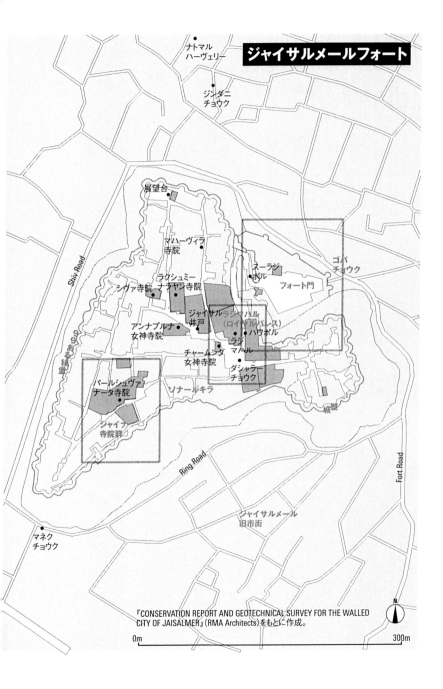

ジャイサルメールフォート

ナトマル
ハーヴェリー

ジンダニ
チョウク

展望台

マハーヴィラ
寺院

スーラジ
ポル

ゴパ
チョウク

フォート門

ラクシュミー
ナラヤン寺院

シヴァ寺院

ジャイサルラジ
井戸

ラジワハル
(ロイヤルパレス)

アンナプルナ
女神寺院

ハワポル

チャームンダ
女神寺院

ラジ
マハル

パールシュヴァ
ナータ寺院

ダシャラー
チョウク

ソナールキラ

ジャイナ
寺院群

Shiv Road

街のある通り

Ring Road

Fort Road

ジャイサルメール
旧市街

マネク
チョウク

『CONSERVATION REPORT AND GEOTECHNICAL SURVEY FOR THE WALLED
CITY OF JAISALMER』(RMA Architects)をもとに作成。

0m   300m

N

★★★
ソナール・キラ（ジャイサルメール・フォート） Sonar Qila (Jaisalmer Fort)
ダシャラー・チョウク Dussehra Chowk
ラジ・マハル（ロイヤル・パレス） Raj Mahal (Royal Palace)
ジャイナ寺院群 Jain Mandir
パールシュヴァナータ寺院 Paraswanath Mandir
パトウォン・キ・ハーヴェリー Patwon Ki Haveli

★★☆
ゴパ・チョウク Gopa Chowk
ジャイサルメール旧市街 Old Jaisalmer
ナトマル・キ・ハーヴェリー Nathmal Ki Haveli
サリーム・シン・キ・ハーヴェリー Salim Singh Ki Haveli
ガディサール・レイク Gadsisar Lake
ヴィアス・チャトリ（サンセット・ポイント） Vyas Chhatri

★☆☆
フォート門 Fort Gate
スーラジ・ポル（太陽の門） Suraj Pol
ハワ・ポル（風の門） Hawa Pol
城壁 Wall
ラクシュミー・ナラヤン寺院 Laxmi Narayan Mandir
アンナプルナ女神寺院 Annapurna Devi Mandir
ジャイサル井戸 Jesloo Kua
マハーヴィラ寺院 Mahavira Mandir
展望台 City View Point
チャームンダ女神寺院 Chamunda Devi Mandir
アマルサーガル・ゲート Amar Sagar Pol
タール遺産博物館 Thar Heritage Museum
サンセット・ポイント Sunset Point
ジンダニ・チョウク Jindani Chowk
マネク・チョウク Manak Chowk
ジャマー・マスジッド Jama Masjid
ティーロン・ゲート Tilon Ki Pol

Fort Gate
フォート門城市案内

太陽の光を受けて
黄金色に輝くソナール・キラ
美しきゴールデン・シティ

ソナール・キラ（ジャイサルメール・フォート）★★★
Sonar Qila（Jaisalmer Fort） ⓣ जैसलमेर का किला ⓖ جيسلمير قلعة

　どこまでも続く乾燥した砂漠地帯のなかで周囲から
盛りあがった高さ76mの台地に浮かぶようにたたずむ
ソナール・キラ（ジャイサルメール・フォート）。1156年、バティ・
ラージプートのジャイサル王が、三角形（トリクート）の形状
をしたこの台地（山＝メール）に泥の城砦を築いたことから、
「ジャイサル王の山」ジャイサルメールという名前がつけ
られた。ラジャスタンではチットールガルにつぐ古い城
砦で、黄色砂岩を素材とするそのたたずまいからソナー
ル・キラ（黄金の城）とも、ゴールデン・フォートとも、トリ
クート・フォートともいう。古都ロドルヴァから移住して
きた住民は、この城内でカーストごとに地区を決めて住
みわけた。王族ラーワルの宮殿は16世紀から19世紀にか
けて徐々に建設されていき、ソナール・キラは17世紀に99
の半円形稜堡をめぐらせる現在の姿になった。ソナール・
キラの住民はヒンドゥー教徒やジャイナ教徒だったが、
その建築やイスラム教徒のムガル様式の影響を強く受
け、バングラという隅の垂れさがった屋根が見られる。城
砦内部に宮殿のほか、人びとが暮らす市域や商店、寺院を
ふくみ、細い路地が入り組むように走る。アルジュナの渇
きを癒すためにクリシュナ神自身が掘ったというジャイ

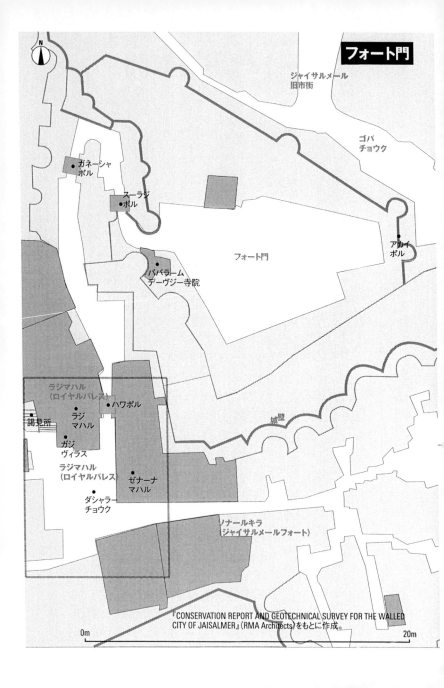

フォート門

N

ジャイサルメール
旧市街

ゴパ
チョウク

ガネーシャ
ポル

スーラジ
ポル

アカイ
ポル

フォート門

ババラーム
デーヴジー寺院

城壁

ラジマハル
（ロイヤルパレス）

ハワポル

謁見所

ラジ
マハル

ガジ
ヴィラス

ラジマハル
（ロイヤルパレス）

ゼナーナ
マハル

ダシャラー
チョウク

ソナールキラ
（ジャイサルメールフォート）

『CONSERVATION REPORT AND GEOTECHNICAL SURVEY FOR THE WALLED
CITY OF JAISALMER』（RMA Architects）をもとに作成。

0m   20m

サル井戸も残るなど、ソナール・キラ（ジャイサルメール・フォート）内は、時計の針がとまったように、今なお中世都市の面影を残している。

ジャイサルメールの発見

　ジャイサルメールのバティ・ラージプート王家は、10世紀ごろからロドルヴァにいたが、そこは平野で敵からの防御にもろいという弱点があった。ある日、ジャイサル（在位1152〜67年）がロドルヴァから15kmの地点にある三角形（トリクート）の形状をしたこの台地のそば（西側）にやってくると、ひとりの聖者に出合った。すると、聖者はトリクートの上部にジャイサルを導き、この地の高さと利点を説き、その話を聞いた王は、ここに砦ソナール・キラを築くことを決めた。1155年7月12日に基礎が築かれ、7年の歳月をかけて造営されたという。この新たな都ジャイサルメールは、古都ロドルヴァの2倍の強さをもった城になった。

***
ソナール・キラ（ジャイサルメール・フォート） *Sonar Qila(Jaisalmer Fort)*
ダシャラー・チョウク *Dussehra Chowk*
ラジ・マハル（ロイヤル・パレス） *Raj Mahal(Royal Palace)*

**☆☆☆
ゴパ・チョウク** *Gopa Chowk*
ガジ・ヴィラス *Gaj Vilas*
謁見所 *Audience Highlights*
ジャイサルメール旧市街 *Old Jaisalmer*

★☆☆
フォート門 *Fort Gate*
アカイ・ポル *Akhai Pol*
ババ・ラームデーヴジー寺院 *S ri Baba Ramdevji Mandir*
スーラジ・ポル（太陽の門） *Suraj Pol*
ハワ・ポル（風の門） *Hawa Pol*
城壁 *Wall*

ソナール・キラ（ジャイサルメール・フォート）の構成

　ジャイサルメールの街は、アッパー・シティ（上街）のソナール・キラとロウワー・シティ（下街）のジャイサルメール旧市街からなる（下街＝旧市街はソナール・キラの人口増から18世紀に整備された）。ゆったりした庭園や外部空間との関係の考えられたムガル帝国やジャイプルの砦と異なり、建物が密集し、チットールガルをはじめとする古いラジャスタンの砦のたたずまいを今に伝える。ゴパ・チョウクからスーラジ・ポルを通ってソナール・キラに入ると、まず広場ダシャラー・チョウクにたどり着く。そのダシャラー・チョウクに隣接して、ジャイサルメール王族の暮らしたラジ・マハル（ロイヤル・パレス）が立っている。このラジ・マハルは複数の宮殿が連続する複合建築で、限られた土地を利用した複雑なプランをもつ。またソナール・キラのなかで、このラジ・マハルの複合建築群とならんで存在感のあるのは、この街に富と繁栄をもたらしたジャイナ教徒の商人によるジャイナ寺院群で、7つの寺院が1か所に密集している。3つの頂点をもつトリクート（台地）上に街が展開することから、地形上の制約を強く受け、隙間なく建物で埋め尽くされていて、そのなかに井戸や商店などが点在している。

ゴパ・チョウク ★★☆
Gopa Chowk／ⓗ गोपा चौक　ⓙ گوپا چوک

　ジャイサルメールの中心で、街でもっともにぎわう広場のゴパ・チョウク。ちょうどソナール・キラの門付近に位置し、アッパー・シティ（上街）とロウワー・シティ（下街）を結ぶ性格をもつ。ここゴパ・チョウクでは、朝市が立ち、ニンジンやジャガイモ、タマネギ、カリフラワーなどの野菜、カレーに使う香辛料、軽食の食べられる露店などがならぶ。またラクダの靴を売る人、ボーパなどの楽器を演

重厚感ある門楼スーラジ・ポル

アカイ・ポルの背後にソナール・キラがそびえる

野菜売りの姿が見える、ゴパ・チョウク界隈にて

99の半円形稜堡をそなえる城壁

聖者をまつるババ・ラームデーヴジー寺院

之の字型の道を登っていく

奏する人、井戸からくんだ水を運ぶ女性など、ジャイサルメールに生きる人たちの様子を見ることができる。

フォート門 ★☆☆
Fort Gate Ⓔकिला गेट／Ⓤ قلعہ گیٹ

　ソナール・キラ城門のフォート門は、朝日を受ける東側におかれている。ロウワー・シティ（下街）からアッパー・シティ（上街）へ、「之」の字状に屈曲したゆるやかな斜面の登城路が続き、4つの門が連続する。もっとも外側の「アカイ・ポル」からなかに入って広場をぬけると「スーラジ・ポル（太陽の門）」が堂々とした姿を見せる。その後、「ガネーシャ・ポル」が現れ、のぼりきったところに「ハワ・ポル（風の門）」が立つ（それをぬけたところがダシャラー・チョウク）。これらは1577〜1622年にラーワル・ビーム・シン（在位1577〜1613年）と、その後のラーワル（王）によって建てられたもの。1156年にソナール・キラが造営されたときは、門はひとつしかなかったが、門が追加されていった。

アカイ・ポル ★☆☆
Akhai Pol Ⓔअखई पोल／Ⓤ اکھائی پول

　ソナール・キラのもっとも外側に立ち、アッパー・シティ（上街）とロウワー・シティ（下街）を結ぶアカイ・ポル。マハラーワル・アカイ・シン（在位1722〜61年）によるもので、同時代にこの門から北西に伸びるゴパ・チョウクにそった城壁も造営された。その後、マハラーワル・ムルラジ2世（在位1761〜1819年）によってソナール・キラの周囲を囲むように旧市街ロウワー・シティ（下街）が整備された。

ババ・ラームデーヴジー寺院 ★☆☆
Sri Baba Ramdevji Mandir／Ⓔश्री बाबा रामदेव जी मंदिर／
Ⓤ بابا رام جی مندر

　ソナール・キラの門前に立つこぶりなヒンドゥー教の

バ バ・ラームデーヴジー寺院。ババ・ラームデーヴジーは14世紀に生きた聖者で、ヒンドゥー教徒とイスラム教徒の双方から信仰を集めた。ババ・ラームデーヴジーは民間信仰としてとくにラジャスタンで人気が高く、クリシュナ神とも同一視される。

スーラジ・ポル (太陽の門) ★☆☆
Suraj Pol ⓗ सूरज पोल ⓤ سورج پول

ソナール・キラ (ジャイサルメール) の正門にあたるスーラジ・ポル (太陽の門)。砂岩製の堂々とした楼門建築は、1594年、ラーワル・ビーム・シン (在位1577〜1613年) によって建てられた (ラージプート諸族の都市では、太陽の昇る東側にスーラジ・ポルをおいた)。このスーラジ・ポルは、東におかれているが、門は南向きで、防衛上の工夫がされている。門には太陽が描かれているほか、彫刻がほどこされている。

ハワ・ポル (風の門) ★☆☆
Hawa Pol／ⓗ हवा पोल／ⓤ ہوا پول

当初、ソナール・キラにはなかったが、スーラジ・ポルとともに1577〜1623年のあいだに整備されたハワ・ポル (風の門)。4つ続く門のうち、最後の門にあたり、王宮への見張り台の役割を果たしていた (王宮ラジ・マハルとつながっている)。ハワ・ポルという名前は、心地よい風が門を通るという意味から名づけられた。

城壁 ★☆☆
Wall ⓗ दीवार ⓤ دیوار

ソナール・キラの砂岩はジュラ紀 (約2億1300万年〜1億4400万年前) のものだという。1156年に造営されて以来、城壁は数度の改建が行なわれ、三重構造となっている。最初の壁は15世紀にジャイナ教徒の長老によってつくられ、2番目の壁は1578年、ラーワル・ビーム・シン (在位1577〜1613年) に

よるもの。当時は外側に突き出した半円形の外殻塔（ブルジュ）が7つあったが、1633〜47年の3度目の修建では、92の外殻塔（ブルジュ）が追加され、あわせて99の外殻塔（ブルジュ）をもつようになった（城壁の高さも12mから18mになった）。その後、1722〜55年、マハラーワル・アカイ・シン（在位1722〜61年）のもと4度目の改修が行なわれ、ゴパ・チョウクの南側を走る補助的な城壁もできあがった。5度目の城壁造営は1750〜1850年のことで、マハラーワル・ムルラジ2世（1761〜1819年）によってソナール・キラ外側の旧市街ロウワー・シティ（下街）が整備された。蛇のように走るジャイサルメールの城壁は、モルタルや粘土を使わず黄砂岩でつくられている。

ジャイサルメール／砂漠に浮かぶ「黄金都市」

Raj Mahal
ラジマハル鑑賞案内

屈曲した道をぬけてたどり着いた先にある
ダシャラー・チョウク
そのそばに王たちのラジ・マハルが立つ

ダシャラー・チョウク ★★★
Dussehra Chowk／ⓗ दशहरा चौक　ⓤ‌‌ دسہرا چوک

　ハワ・ポル(風の門)をぬけたところにある広場のダシャラー・チョウク。ソナール・キラ(フォート)の中心にあたり、人々の集まるこの広場からフォート内各地へ路地が伸びている。広場に面してジャイサルメール王の旧宮殿ラジ・マハル(ロイヤル・パレス)が立ち、階段状の謁見所も見える。謁見所の最上段に王の玉座が残るほか、音楽師による演奏もここで催されてきた。ダシャラー(ダシェラ)とは、正義(神)が悪(悪魔)に勝利したことを祝うインドの祭りのひとつで、ダシャラー・チョウクにはチャームンダ女神寺院が立っている。

ラジ・マハル(ロイヤル・パレス) ★★★
Raj Mahal(Royal Palace)　ⓗ राज महल　ⓤ راج محل

　祖先を月にさかのぼる系譜をもつというジャイサルメール王族(バティ・ラージプート族)の暮らしたラジ・マハル(ロイヤル・パレス)。ラジ・マハルは、1156年、古都ロドルヴァからジャイサルメールへ遷都して400年以上がたって、音楽や芸術を愛したラーワル・ハル・ラージ(在位1561~77年)の建てたハル・ライ・カ・マリヤという宮殿を前身とする。これら黄色砂岩の複合宮殿建築は、16~19世紀にかけて

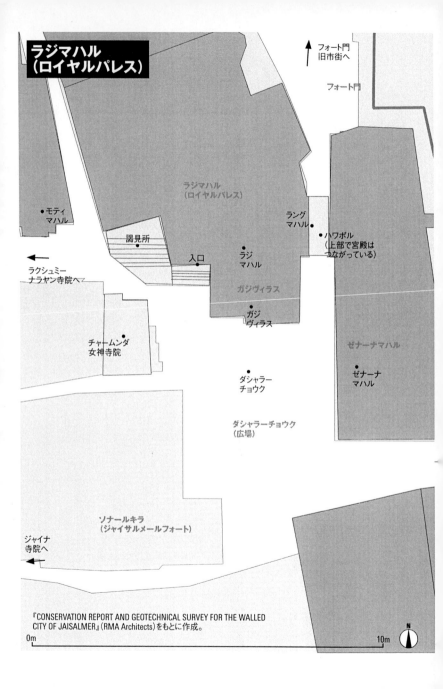

ラジマハル
(ロイヤルパレス)

フォート門
旧市街へ

フォート門

ラジマハル
(ロイヤルパレス)

• モティ
マハル

謁見所

入口

• ラジ
マハル

ラング
マハル •

• ハワポル
(上部で宮殿は
つながっている)

← ラクシュミー
ナラヤン寺院へ

ガジヴィラス

• ガジ
ヴィラス

チャームンダ
女神寺院

ゼナーナマハル

• ダシャラー
チョウク

• ゼナーナ
マハル

ダシャラーチョウク
(広場)

ソナールキラ
(ジャイサルメールフォート)

ジャイナ
寺院へ
←

『CONSERVATION REPORT AND GEOTECHNICAL SURVEY FOR THE WALLED
CITY OF JAISALMER』(RMA Architects)をもとに作成。

0m   10m

N

歴代の王(ラーワル、マハラーワル)たちによってつくられたもので、とくに17世紀のラーワル・サバル・シン(在位1650〜59年)以降、ジャイサルメールは最高の繁栄を迎えた(ジャイサルメールは、タール砂漠を往来するキャラバン隊の拠点となり、王家はその税収で大いに栄えた。この交易に従事したのがジャイナ教徒で、ジャイナ教徒と王家は強いつながりをもっていた)。ジャイサルメールの王ラーワル(マハラーワル)は、他国でのマハラジャに相当し、臣下から忠誠を受け、慕われ、神とも同一視されていた。19世紀のガジ・シン(在位1819〜46年)によるガジ・ヴィラスを正面とし、ハワ・ポル(風の門)をはさんで上部でつながっている王妃の宮殿ゼナナ・マハル、ラング・マハル(色彩の間)、モティ・マハル(真珠の間)といった宮殿が連続して展開する。四隅の垂れさがった屋根、四方に厚い壁をめぐらせた中庭をもち、柱、壁面、窓枠にびっしりと彫刻がほどこされている。現在は博物館として開館し、王の肖像画や調度品の展示が見られるほか、上部からはジャイサルメール市街が一望できる。

ガジ・ヴィラス ★★☆

Gaj Villas／🄔 गज विलास ／⑦

ダシャラー・チョウクに面し、ラジ・マハルの象徴的存

在となっているガジ・ヴィラス。ムル・ラジ2世のあとを受けたガジ・シン(在位1820〜46年)による建物で、高い基壇(1階)のうえに、宮殿が載り様式で上部からは街が見渡せるように設計されている(その奥にあったマルダナ宮殿の前に増築された)。このガジ・ヴィラスの四隅の垂れさがった屋根はバングラと呼び、ムガル帝国やラジャスタンで好んで使用された(雨の多いベンガル地方で発達した建築様式で、東方のベンガル地方がムガル帝国の版図になったことでこの地にもたらされることになった)。美しい邸宅でその名を残す大臣サリーム・シンは、ガジ・シンと同時代に生きた。ガジ・ヴィラスを中心とする王たちの「ラジ・カ・マハル(ラジ・マハル)」とハワ・ポル(風の門)、通路をはさんで王妃たちの「ラニ・カ・マハル(ゼナナ・マハル)」は向かいあうように位置する。

サルヴォッタム・ヴィラス ★☆☆
Sarvottam Villas ⓗ सर्वोत्तम विलास ／⨂

「最高の宮殿」を意味するサルヴォッタム・ヴィラス。マハラーワル・アカイ・シン(在位1772〜62年)によって建てられた。アカイ・シンは造幣局を設立して、ジャイサルメールからデオラワル、バハワールプル一帯にアカイ・シャイ・コインを流通させた賢明な統治者として知られる。サルヴォッタム・ヴィラスでは、青のタイルやガラス・モザイクの装飾が見られる。

ラング・マハル (色彩の間) ★☆☆
Rang Mahal ⓗ रंग महल ⨂

ハワ・ポル(風の門)の上部に位置するラング・マハル(色彩の間)。マハラーワル・ムルラジ2世(在位1762〜1819年)によって建てられ、壁画や文様で彩られている。

四隅の垂れさがった屋根をもつラジ・マハル(ロイヤル・パレス)

階段状の謁見所、上部に王の玉座がおかれている

彫刻のほどこされたバルコニー

ジャイサルメール王の肖像画が飾られている

ゼナーナ・マハル（女子の館） ★☆☆
Rani Ka Mahal／ⓗ रानी महल／ⓤ رانی کا محل

　ダシャラー・チョウク(広場)の東側に立つゼナーナ・マハル(女子の館)。16〜17世紀の建築で、ジャイサルメール王家の女性たちがここに暮らした。窓には透かし彫りがほどこされ、相手からは見られずにここから広場で行なわれる祭りやイベントを見ることができた。通りをはさんで西側(ガジ・ヴィラス)を王の宮殿ラジ・カ・マハル(ラジ・マハル)と呼ぶのに対して、王妃たちの宮殿ラニ・カ・マハルとも呼ぶ。

モティ・マハル(真珠の間) ★☆☆
Moti Mahal／ⓗ मोती महल／ⓤ موتی محل

　1813年、マハラーワル・ムルラジ2世(在位1762〜1819年)によって建てられたモティ・マハル(真珠の間)。ムルラジ2世時代の1818年にジャイサルメールはイギリスの保護国となった(またビカネールやジョードプル、シンドに領地を奪われるなど、ジャイサルメールはこの時代、弱体化した)。ガジ・ヴィラスと同様に3階建てで、外観も似ているが、壁面や扉には花の装飾が見られる。広々としたホールをもち、サブハ・ニワースの名前でも知られる。

謁見所 ★★☆
Audience Highlights　ⓗ दर्शकों की सीटें／ⓤ سامعین کی نشستیں

　ダシャラー・チョウクに面しておかれていた階段状の謁見所。ここでジャイサルメールのマハラーワル(王)は、人びとに謁見したほか、広場で行なわれる祭りを見ることもできた(音楽師による演奏もここで催された)。5段からなる謁見所の最上段に王の玉座が残る。

ジャイナ寺院鑑賞案内

不殺生の考えから交易に従事してきたジャイナ教徒
タール砂漠を往来するキャラバン隊を通して
莫大な利益をあげ、それを寺院建立のために寄進してきた

ジャイナ寺院群 ★★★

Jain Mandir ⓣ जैन मंदिर／ⓤ جین مندر

　タール砂漠の交易都市であったジャイサルメールは、それをになったジャイナ教徒の商人が力をもち、ソナール・キラ南西部の一角に中世(15～16世紀)以来の7つのジャイナ寺院が集まっている。ジャイナ教徒は仏教と同時期の紀元前6世紀ごろに生まれ、不殺生を中心とした苦行、禁欲的なインド固有の宗教としてインド社会では強い力をもった。この一角は、街が建設される以前からジャイナ教の聖地だったとも言われ、ジャイサルメールでもっとも古い歴史をもつ(町が建設される以前の1400年前からあるという)。路地を隔てて密集するジャイナ寺院は限られた土地にあわせて徐々に追加されていき、ジャイナ教開祖、第24代祖師のマハーヴィラ以前にいたという23人の祖師ティールタンカラの像がそれぞれまつられている。これらのティールタンカラは、第23代パールシュヴァナータのみ実在の人物とされる。建築はアブー山のものと共通するソーラーンキー朝(グジャラート)様式で、シカラ屋根、壁面、柱にびっしりと刻まれた彫刻をもち、吹き抜けとなった前殿、ジャイナ教祖師像をまつり、回廊をめぐらせた本殿からなる。寺院内は、お香や花、ギーの混じった香り、鐘の音やシンバルの音、ランプの灯が神聖な空間をつ

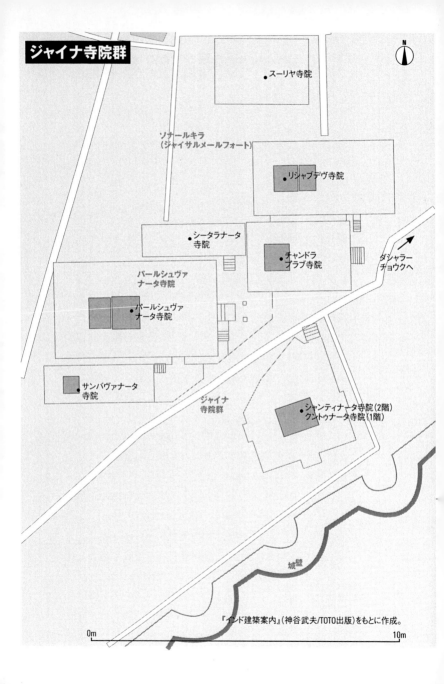

ジャイナ寺院群

・スーリヤ寺院

ソナールキラ
（ジャイサルメールフォート）

・リシャブデヴ寺院

・シータラナータ
寺院

・チャンドラ
プラブ寺院

ダシャラー
チョウクへ

パールシュヴァ
ナータ寺院

・パールシュヴァ
ナータ寺院

・サンバヴァナータ
寺院

ジャイナ
寺院群

・シャンティナータ寺院（2階）
クントゥナータ寺院（1階）

城壁

『インド建築案内』（神谷武夫/TOTO出版）をもとに作成。

0m   10m

くり、瞑想する人の姿も見える。中世以来、商業に長けた白衣派ジャイナ教徒がジャイサルメールの経済を手中にしていたことから、ソナール・キラ内ではヒンドゥー寺院よりもジャイナ寺院の数が多い。そしてジャイナ寺院群が建てられた15〜16世紀は、商業上の観点からこの街の価値があがった時代にあたる。

リシャブデヴ寺院 ★☆☆

Rishabdev Mandir Ⓗ ऋषभदेव मंदिर Ⓤ رشبدیومندر

　ラジ・マハルからジャイナ寺院群に向かって進むと、最初に現れるのがリシャブデヴ寺院。リシャブデヴは、ジャイナ教の宗教的時間論の第3期と第4期にあわせて24人いる祖師ティールタンカラ(「道を切り開く人びと」)のうち、最初に現れたジナ(勝利者)。聖典『カルパ・スートラ』に記されていて、「原初の主」を意味するアーディナータとも呼ばれる。リシャブデヴはアヨーディヤーで王子(クシャトリア)として生まれ、やがて苦行者となり、長く生きたのちカイラスでなくなったという(100人いる子どものなかで、第2子ゴンマタが南インドの裸形の空衣派で崇拝されている)。このリシャブデヴ寺院は、1479年、セト・サッチャの家族によって建設されたと言われ、トーラナやアーチ、寺院本体に花や天女、踊り子などの彫刻がほどこされている。リシャブデヴは牡牛、黄金色を表徴とする。

ジャイナ寺院鑑賞案内

★★★
ジャイナ寺院群 *Jain Mandir*
パールシュヴァナータ寺院 *Paraswanath Mandir*
ソナール・キラ(ジャイサルメール・フォート) *Sonar Qila(Jaisalmer Fort)*

★☆☆
リシャブデヴ寺院 *Rishabdev Mandir*
チャンドラプラブ寺院 *Chandraprabhu Mandir*
シータラナータ寺院 *Shitalnath Mandir*
サンバヴァナータ寺院 *Sambhavanath Mandir*
クントゥナータ寺院 *Kunthunath Mandir*
シャンティナータ寺院 *Shantinath Mandir*
城壁 *Wall*

チャンドラプラブ寺院 ★☆☆

Chandraprabhu Mandir／(ヒ)चंद्रप्रभु मंदिर／(ウ) ‎چندرپربھومندر

　広場に面し、ジャイナ寺院群の中央部に立つチャンド
ラプラブ寺院。チャンドラプラブは第8代ティールタンカ
ラで、月と白色を表徴とする。1452年に建立され、3階建
ての寺院内は閉鎖的で、暗がりのなか、通路を周回する巡
礼者の姿がある。

パールシュヴァナータ寺院 ★★★

Paraswanath Mandir／(ヒ)पार्श्वनाथ मंदिर／(ウ) ‎پارشواناتھمندر

　ジャイナ寺院群の中心的役割を果たす寺院で、第23代
ティールタンカラをまつったパールシュヴァナータ寺
院。パールシュヴァナータとは「人びとに喜んで受け入れ
られる」という意味で、紀元前8世紀ごろにニガンタ派を
率いた六大自由思想家のひとりとされる(他のティールタン
カラは実在しないが、パールシュヴァナータは実在する)。「殺さない、
盗みをしない、嘘をつかない、所有しない」の4つの戒律
を唱え、ニガンタ派に属したマハーヴィラがこの教えに
改良を加えたことから、パールシュヴァナータが実質的
なジャイナ教の開祖とも見られる。このパールシュヴァ
ナータ寺院は、ラーワル・ラクシュマン(在位1396〜1427年)
時代の1416年、貿易商のジャイシンによって建てられ
た。ジャイナ寺院群のうち最初のもので、造営当初はラク
シュマーナ・ビハールと呼ばれていたという。寺院本体
は見事な彫刻がほどこされ、アーチ型の入口から入ると、
トーラナがあり、その奥に礼拝堂と、ロドルヴァから遷さ
れた主神像の安置された本堂が位置する(主神像は11世紀の
もので、ジャイサルメール王家の古都ロドルヴァから遷された)。パール
シュヴァナータは蛇と青色を表徴とするため、コブラの
フードをまとった姿でしばしば描かれる。

西インドのソーランキー朝のもとで発展した建築様式をもつ

白大理石のジャイナ教祖師像

グジャラートで見られるような精緻な彫刻

細い路地の両脇にジャイナ寺院が集まる

シータラナータ寺院 ★☆☆

Shitalnath Mandir ⓗ शीतलनाथ मंदिर／ⓤ شیتل ناتھ مندر

　パールシュヴァナータ寺院の脇に立つ、縦に細長い
シータラナータ寺院。卍印、黄金色を表徴とする第10代
ティールタンカラのシータラナータに捧げられている。
1547年の建立で、オープンスペースをもたず、限られた土
地面積の制約のもとに設計されている。

サンバヴァナータ寺院 ★☆☆

Sambhavanath Mandir／ⓗ सम्भवनाथ मंदिर　ⓤ سمبھوناتھ مندر

　通りに面して立つサンバヴァナータ寺院は、ジャイナ
寺院群のうち2番目に古く、パールシュヴァナータ寺院に
準じる寺院として建てられた。1432年もしくは1420年
の建立で、馬と黄金色を表徴とする第3代ティールタンカ
ラのサンバヴァナータに捧げられている。寺院地下には
1443年にジーナバドラ師が設立した「ギャーン・バンダル
(知識の貯蔵庫)」という図書館が残り、ジャイサルメールの
文化的拠点となってきた。ヤシの葉やホジャプラという
樹皮にプラークリット語とサンスクリット語で記された
ジャイナ教の写本を収蔵し、最古のものは1060年にさか
のぼる(古く貴重な写本の数は約3000、そのうち500が貝葉)。

クントゥナータ寺院 ★☆☆

Kunthunath Mandir／ⓗ कुंथुनाथ मंदिर／ⓤ کنتھوناتھ مندر

　ヤギと黄金色を表徴とする第17代ティールタンカラ
のクントゥナータに捧げられたクントゥナータ寺院。通
りをはさんでパールシュヴァナータ寺院の反対側に位置
し、2階建て寺院の1階(クントゥナータ寺院)と2階(シャンティ
ナータ寺院)で異なる寺院となっている(土地面積の不足からこの
ような工夫がされた)。1階のクントゥナータ寺院は1490年ご
ろに完成し、神々や踊り子などの彫刻が見られる。

シャンティナータ寺院 ★☆☆

Shantinath Mandir ⓗ शांतिनाथ मंदिर ⓖ شانتيناته مندر

　クントゥナータ寺院の上部につくられたシャンティ
ナータ寺院。ジャイナ教の第16代ティールタンカラの
シャンティナータがまつられていて、この祖師はレイ
ヨウと黄金色を表徴とする。先(1490年ごろ)にあったクン
トゥナータ寺院のうえに、あと(1526年)から増築された。
上下階ふたつの寺院で、双子寺院を形成する。

ジャイナ教の西インド

ジャイナ教の開祖マハーヴィラの両親は
第23代祖師パールシュヴァナータの教団の在家信者であったという
現在まで2500年にわたって続くインド的宗教

ジャイナ教の歴史的展開

　紀元前6世紀ごろ、仏教から六師外道と見なされていた自由思想家のひとりニガンタ・ナータプッタ（ヴァルダマーナ）は、悟りを開いてマハーヴィラとなり、その教えジャイナ教を広めるようになった。この教えは紀元前2世紀にはインドの南方と北方に広がっていて、マウリヤ朝のアショカ王碑文にもその様子が描かれている（紀元前1世紀にはジャイナ寺院があり、3世紀以後はそれぞれの地域で発展した）。現在、白衣派（シュヴェーターンバラ派）と空衣派（ディガンバラ派）という大きくふたつの宗派にわかれているが、これは1世紀ごろ、北インドに飢饉が起きて、ジャイナ教の一派（空衣派）が南インドに遷って、そこで厳格な苦行を続け、その後、中央インドに戻ったことによる。もとからいた一派（白衣派）は戒律を厳格に守らず、白衣を着ていため、より厳格な裸形の空衣派とにわかれることになった。イスラム教徒の北インド侵入で13世紀には仏教はついえたが、致命的打撃を受けたもののジャイナ教は教団の組織力などによって切り抜け、現在まで連綿と続くインドを代表する宗教となっている。

ジャイナ教と西インド

　西インドでジャイナ教が盛んになったのは、グジャラートでジャイナ教白衣派の学者ヘーマチャンドラ(1089〜1172年)が出て、西インドの統治者であったソーランキー朝(11〜12世紀)の王ジャヤシンハ・シッダラージャ(在位1094〜1143年ごろ)、クマーラパーラ(在位1143〜72年ごろ)を教化したことによる。この王朝は、ジャイナ教の教えをもとに殺生を禁じ、風俗を正したため、王権の保護のもとにジャイナ教がグジャラートやラジャスタンといった西インドに根づいていった。12世紀以後、イスラム教徒の侵攻を受けた北インドでジャイナ教が致命的な影響を受けたのに対して、西インドでは教徒間の強い連帯と組織力でその勢いがおとろえることはなかった。またこの地でタール砂漠やアラビア海を通じた交易が盛んだったことも、西インドのジャイナ商人活躍の素地となった(16〜18世紀、ムガル帝国に協力することで、シャトルンジャヤ山、ギルナール山、アブー山など、ジャイナ教聖地の管理権を容認された)。不殺生や菜食主義、禁欲主義的なジャイナ教の教えは、グジャラート出身のマハトマ・ガンジー(1869〜1948年)にも大きな影響をあたえた。

ジャイナ教徒の職業

　ジャイナ教は、不殺生、非所有、禁酒をはじめ、厳格な教義をもつ。鋤で虫を殺すことをさけて農業に従事せず、小さな虫をふまないようにほうきで掃きながら歩き、虫が口に入らないようにマスクをつけるジャイナ教徒の様子を見ることも少なくない。こうした教義上の制約から、ジャイナ教徒は殺生の必要のない商人として活躍し、宝石商や両替、金融業、教師などに従事し、シンド、アラビア、カブール、中国へ続く交易路上にあるジャイサルメー

ルでは交易商人として活躍した（ジャイナ教の戒律から、農業、漁業、軍人、屠殺業などにはつくことはなかった）。財をなしたジャイナ教徒はその富を寺院に寄進するなど、信者間は強い結束で結ばれ、全インドの総人口比0.5％ほどに過ぎないものの、インド社会で強い存在感を示している。

ジャイナ教の祖師たちをまつる

彫刻で埋め尽くされた壁面

ジャイナ教徒が街の中枢をにぎった

透かし彫りの奥に見える聖者像

フォート城市案内

ソナール・キラには4つのヴィシュヌ派寺院と
8つのジャイナ教寺院が残る
細い路地が入り組み人びとの生活が息づく

ラクシュミー・ナラヤン寺院 ★☆☆

Laxmi Narayan Mandir／ⓣ लक्ष्मी नारायन मंदिर／ⓤ لکشمی نارائن مندر

　フォート中心部、ジャイサル井戸の近くに立つヴィシュヌ派のラクシュミー・ナラヤン寺院。ジャイサルメールでもっとも重要なヒンドゥー寺院で、この街の主要な祭りはここで行なわれる。ジャイサルメール王家はクリシュナ神の一族を先祖とすると言われ、クルデヴィとラクシュミナートを信仰していた。この寺院は1437年、マハラーワル・ヴァイリシ(在位1427～48年)によって建てられた。伝説ではジャイサル井戸に落ちた牛を引きあげたときに、クリシュナの彫像がついてきて、それが寺院に安置されたことにはじまるという(このクリシュナ像は金色に装飾がされ、食べものは銀の食器で捧げられる)。外部に対して開放的なつくりをしていて、ジャイサルメールのヒンドゥー教徒が参拝に訪れている。またこの寺院の西側にはこぢんまりとしたシヴァ派のラトネスワル・マハデーヴィー寺院も位置する。

アンナプルナ女神寺院 ★☆☆

Annapurna Devi Mandir／ⓣ अन्नपूर्णा देवी मंदिर／ⓤ اناپورنا دیوی مندر

　14世紀に建てられたジャイサルメールでもっとも古いアンナプルナ女神寺院。アンナプルナ女神は食物の女神

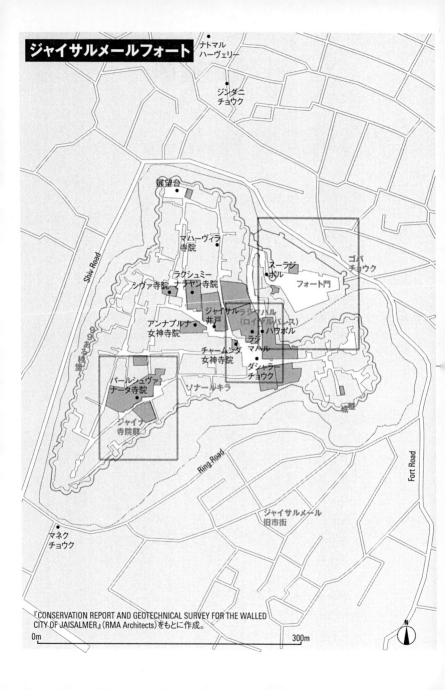

ジャイサルメールフォート

ナトマル
ハーヴェリー

ジンダニ
チョウク

展望台

マハーヴィラ
寺院

ラクシュミー
ナラヤン寺院

スーラジ
ポル

ゴパ
チョウク

シヴァ寺院

フォート門

ジャイサル
井戸

ラジマハル
(ロイヤルパレス)

アンナプルナ
女神寺院

ハワポル

チャームンダ
女神寺院

ラジ
マハル

ダシャラー
チョウク

パールシュヴァ
ナータ寺院

ソナール・キラ

ジャイナ
寺院群

Shiv Road

城壁

城壁

Ring Road

Fort Road

ジャイサルメール
旧市街

マネク
チョウク

『CONSERVATION REPORT AND GEOTECHNICAL SURVEY FOR THE WALLED
CITY OF JAISALMER』(RMA Architects)をもとに作成。

0m   300m

N

で、人びとに豊穣をあたえるという。穀物を捧げる人の姿がある。

ジャイサル井戸 ★☆☆
Jesloo Kua ／ Ⓗ जैसल कुआँ　Ⓥ جیسل کھوا

　1156年に街を築いたジャイサル王の名前がつけられたジャイサル井戸。この井戸には伝説があり、クリシュナがアルジュナに、「遠い将来、バティ・ラージプートの一族が、トリクートの台地に砦(ジャイサルメール)を建てるだろう」と予言した。するとアルジュナは「この地の水は塩分が多く、飲み水にふさわしくない」と答えた。それを聞いたクリシュナは、自分の円盤で岩をたたき、そこから甘い水がわきはじめたという。これがジャイサル井戸で、ジャイサルメールの人たちに生活に必要な水を供給してきた。

★★★
ソナール・キラ(ジャイサルメール・フォート) Sonar Qila(Jaisalmer Fort)
ダシャラー・チョウク Dussehra Chowk
ラジ・マハル(ロイヤル・パレス) Raj Mahal(Royal Palace)
ジャイナ寺院群 Jain Mandir
パールシュヴァナータ寺院 Paraswanath Mandir

★★☆
ゴパ・チョウク Gopa Chowk
ジャイサルメール旧市街 Old Jaisalmer
ナトマル・キ・ハーヴェリー Nathmal Ki Haveli

★☆☆
フォート門 Fort Gate
スーラジ・ポル(太陽の門) Suraj Pol
ハワ・ポル(風の門) Hawa Pol
城壁 Wall
ラクシュミー・ナラヤン寺院 Laxmi Narayan Mandir
アンナプルナ女神寺院 Annapurna Devi Mandir
ジャイサル井戸 Jesloo Kua
マハーヴィラ寺院 Mahavira Mandir
展望台 City View Point
チャームンダ女神寺院 Chamunda Devi Mandir
ジンダニ・チョウク Jindani Chowk
マネク・チョウク Manak Chowk

マハーヴィラ寺院 ★☆☆

Mahavira Mandir Ⓗमहावीर मंदिर／Ⓤ ماهاویرا مندر

　モティ・マハル脇の細い路地を進んでいったところに
立つジャイナ教のマハーヴィラ寺院。この寺院だけが7つ
のジャイナ寺院群から離れていて、自由思想家のひとり
ニガンタ・ナータプッタ(ヴァルダマーナ)ことジャイナ教の
開祖マハーヴィラをまつる(ブッダと同じ紀元前6世紀ごろに生き
た)。ジャイサルメールが商業で繁栄していた1524年に建
てられた。

展望台 ★☆☆

City View Point／Ⓗसिटी व्यू पॉइंट　Ⓤ سٹی ویو پوینٹ

　トリクート(三角形)のプランをもつソナール・キラ北側
頂部に整備された展望台。高さ76mの台地上から黄砂岩
で彩られたジャイサルメールの街が見える。

チャームンダ女神寺院 ★☆☆

Chamunda Devi Mandir Ⓗश्री चामुंडा मंदिर／Ⓤ سری چامنڈا مندر

　ダシャラー・チョウクに隣接したこぶりなチャームン
ダ女神寺院。シヴァ神の妻パールヴァティーの化身と見
られ、人びとを畏怖させる恐ろしい女神でもある(ジョード
プル王家の守護神でもある)。周囲の王宮に対応するように、透
かし彫りが美しいファザードをもっている。

混淆する宗教

　インド西部に位置し、パキスタンやイラン、中央アジア
にも近いジャイサルメールでは、たえず西方からの文化
の影響を受けることになった。この街では、ヒンドゥー
教徒、イスラム教徒、ジャイナ教徒がすみわけて暮らし、
異なる宗教や文化が共存している。ジャイサルメールで
はジャイナ教徒が交易をにない、ヒンドゥー教徒が農作

もっとも古い寺院だというアンナプルナ女神寺院

王家と関わりのあるラクシュミー・ナラヤン寺院

広場に面したチャームンダ女神寺院

細い路地をリキシャが走る

業に従事し、イスラム教徒が工芸品を制作したり、販売した。砂漠の音楽師マンガニヤールはイスラム教徒だが、ヒンドゥー教徒の行事で演奏し、ジャイサルメール特有の黄色砂岩にほどこす彫刻技術はイスラム教徒によって受け継がれてきた。印パ分離独立後、イスラム教徒の多くがパキスタンに渡ったという。

Jaisalmer West
旧市街西城市案内

フォートの城下町として発展してきた旧市街
商人や官吏の邸宅ハーヴェリー
バザールが密集して連なる

ジャイサルメール旧市街 ★★☆
Old Jaisalmer Ⓔ पुरानी जैसलमेर Ⓤ پرانی جیسلمیر

　ソナール・キラの外側に広がる城壁に囲まれたジャイ
サルメール旧市街。1156年に造営された上街(アッパー・シ
ティ)が手ぜまになったのを受けて、17世紀に城の外側に
集落ができたという。その後、マハラーワル・アカイ・シ
ン(在位1722〜61年)の治世の1722年からロウワー・シティ
(下街)の造営がはじまり、ムルラジ2世(在位1761〜1819年)に
よって1750年に高さ9mほどの城壁が完成した(外側の市
壁は建築資材として使われたため、現在ではほとんど残っていない)。周
囲にはガディサル・ゲート、アマルサーガル・ゲート、マル
カ・ゲート、バロン・ゲートの4つの門があり、とくに東の
ガディサル・ゲート、西のアマルサーガル・ゲートが取水
が行なわれることもあって主要な門だった。この新たな
市街では、布や織物、野菜店、お菓子店、金細工店といった
それぞれの職業の人たちが、それぞれ割りあてられたエ
リアに暮らしていた。また街の中心でソナール・キラとの
接合部にあたるゴパ・チョウク、マネク・チョウクなどの
広場に人が集まり、ふたつの城門へ続くバザールがにぎ
わいを見せていた。

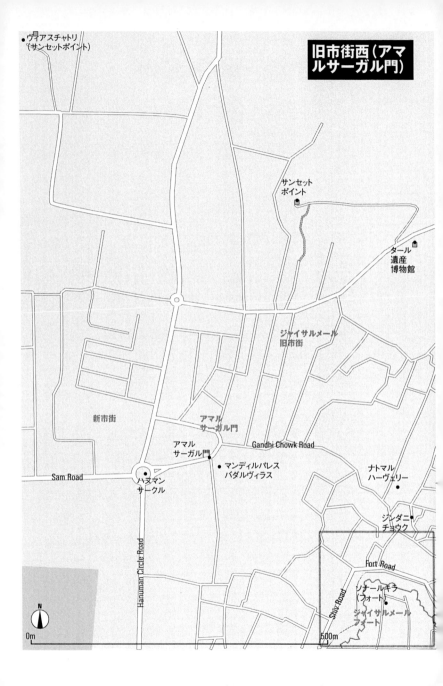

旧市街西(アマルサーガル門)

ヴィアスチャトリ
(サンセットポイント)

サンセット
ポイント

タール
遺産
博物館

ジャイサルメール
旧市街

新市街

アマル
サーガル門

アマル
サーガル門

Gandhi Chowk Road

マンディルパレス
バダルヴィラス

ナトマル
ハーヴェリー

Sam Road

ハヌマン
サークル

ジンダニー
チョウク

Hanuman Circle Road

Fort Road

Shiv Road

ソナールギラ
(フォート)

ジャイサルメール
フォート

N

0m

500m

ジャイサルメール料理とは

　　ジャイサルメールではパンや香辛料をふんだんに使ったカレー、野菜、豆を中心としたラジャスタン料理が食べられている。そのなかでも、ジャイサルメールの料理は、唐辛子とショウガがたくさん使われていることを特徴とし、名物のガッタカレー、肉料理マース・カ・スラ（ケバブ）、牛乳やマサラを入れた煮込み肉のサフェド・マース、豆と木の実のカルサングリなどが食べられている。

アマルサーガル・ゲート ★☆☆

Amar Sagar Pol／㊗ अमर सागर पोल／⑦ امرساگرپول

　　ジャイサルメール旧市街の西門にあたるアマルサーガル・ゲート。門の名前は、西7kmに位置し、ガディサール・レイクとともに貴重な水源となってきたアマルサーガルからとられている（アマルサーガルには、1688年、アマル・シンによって造営された人造湖や庭園が残る）。西方と隊商が行き交う街の玄関口だったところで、今でも物売り、露店、ホテル、レストラン、旅行代理店が集中する。

マンディル・パレス ★★☆
Mandir Palace ／ ⓔ मंदिर पैलेस ／ ⓤ ﻣﻨﺪﺭ ﭘﯿﻠﯿﺲ

　マンディル・パレスは、19世紀から20世紀初頭にかけて建てられたジャイサルメール王の新宮殿。ソナール・キラ（上街）の土地が手ぜまになったため、王家は新たな宮殿を下街（旧市街）のアマルサーガル・ゲートそばに建てた（とくに1818年以後、イギリスの統治下となったジャイサルメールでは王族の生活もそれに応じて変化した）。ジャワハル・ヴィラス、バダル・ヴィラスというふたつの宮殿からなり、マンディル・パレスという名称は、この宮殿が15の寺院（マンディル）を抱えることに由来する。精緻な石刻は1947年の印パ分離独立でパキスタンに移住していったイスラム職人によるもので、彼らがジャイサルメールに残した遺品とも言える。現在はホテルとして開館していて、バダル・ヴィラスに立つ5層の望楼タジア・タワーは遠くからも視界に入る。

バダル・ヴィラス（雲の宮殿）★★☆
Badal Villas ／ ⓔ बादल विलास ／ ⓤ ﺑﺎﺩﻝ ﻭﻟﺎﺱ

　マハラーワル・ベリサル（在位1865～91年）によって建てられたジャイサルメールの新宮殿バダル・ヴィラス。このバダル・ヴィラスは天空に浮かぶ雲のようにそびえることから「雲の宮殿」という名前で呼ばれ、6階建ての堂々とした望楼をもつ。バングラ式屋根、くまなくほどこされた精緻な彫刻で、ジャイサルメール建築の質の高さを示している。この建物は、イスラム教シーア派のムハッラムの祭りで街を引き歩く「タジア（聖者を模した紙製のもの）」に似ていることから、タジア・タワーとも呼び、ジャイサルメールのランドマークとなっている。

ガンジー・チョウク・ロード ★★☆
Gandhi Chowk Road ／ ⓔ गाँधी चौक मार्ग ／ ⓤ ﮔﺎﻧﺪﮬﯽ ﭼﻮﮎ ﺭﻭﮈ

　アマルサーガル・ゲートから旧市街中心部へ続くガン

デーヴァナーガリー文字で記された看板が見える

多くの人でにぎわうアマルサーガル門

ジャイサルメールのバザール

そびえるランドマーク、タジア・タワー

ジー・チョウク・ロード。ゴパ・チョウクとともにジャイサルメールでもっともにぎわう場所で、細い路地の両脇には間口ひと間ほどの店が連なる。工芸店、絹織物店、書店などがならび、ラクダの革製品、ラジャスタンの刺繍や鏡細工、織物、ジャケットなどの衣料品、石細工、骨董品などが軒先に見える。路幅はせまく、歩けばすれ違う人と肩がぶつかりそうになり、ジャイサルメールに生きる人間や動物などの息づかいが聞こえるような通りとなっている。

旧市街北城市案内

旧市街の北門マルカ・ゲート
このあたりにはバトウォン・キ・ハーヴェリーや
ナトマル・キ・ハーヴェリーといった大邸宅が残る

ジンダニ・チョウク ★☆☆
Jindani Chowk Ⓔ जिंदानी चौक / Ⓞ جندانی چوک

　ガンジー・チョウク・ロードからソナール・キラへ続く通りに位置するジンダニ・チョウク。下街（ロウワー・シティ）の中心部に位置し、あたりには店舗が密集している。また南側はゴパ・チョウクにつながっていく。

ナトマル・キ・ハーヴェリー ★★☆
Nathmal Ki Haveli / Ⓔ नथमल की हवेली / Ⓞ نتھمل کی حویلی

　ジャイサルメール国の宰相（ディワン）をつとめた官吏の邸宅ナトマル・キ・ハーヴェリー（大臣ナトマルのハーヴェリー）。5階建て、40室の部屋をもつハーヴェリーは、吹き抜けの中庭をもつ構造になっている。マハラーワル・ベリサル（在位1865〜91年）がディワンに贈ったといい、バダル・ヴィラス（タジア・タワー）と同時期の1885年に建てられた。このハーヴェリーはハティとラルというふたりのイスラム教徒の兄弟建築家が、それぞれ右半分と左半分を担当して設計した。ほぼ左右対称で完成したが、よく見ると窓のデザインなどで同じではないことがわかる。ウルドゥー語の碑文が刻まれた石板が見えるほか、蒸気機関車、自転車、兵士、馬、象、鳥などが装飾されている。

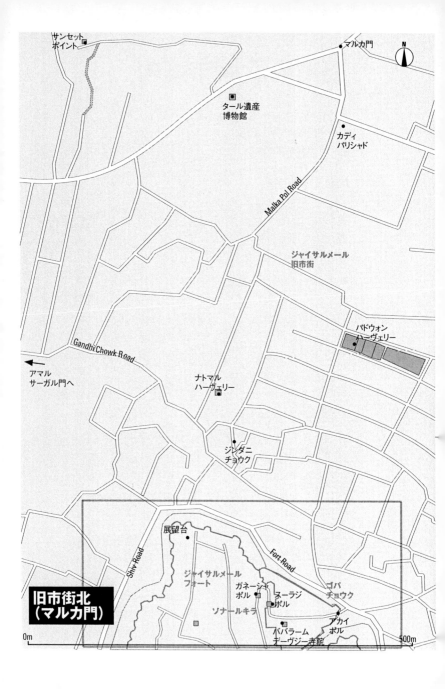

サンセット
ポイント

● マルカ門

N

タール遺産
博物館

カディ
パリシャド

Malka Pol Road

ジャイサルメール
旧市街

パドウォン
ハーヴェリー

Gandhi Chowk Road

アマル
サーガル門へ

ナトマル
ハーヴェリー

ジンダニ
チョウク

Shiv Road

展望台

Fort Road

ジャイサルメール
フォート

ガネーシャ
ポル

スーラジ
ポル

ゴパ
チョウク

ソナールキラ

アカイ
ポル

ババラーム
デーヴジー寺院

旧市街北
（マルカ門）

0m

500m

贅を尽くした邸宅ハーヴェリー

　　ハーヴェリーは16世紀のムガル帝国の成立とともに、北西インドにもちこまれたペルシャ起源の邸宅で、中庭をもち、四方は重厚な壁でおおわれている（モヘンジョダロやハラッパといったインダス文明遺跡からも中庭式住居が発見されているという）。ジャイサルメールのハーヴェリーは、「夏暑く、冬寒い」という砂漠の気候にあわせて、太陽の光と外気をさける厚い壁をもつ。城壁に囲まれた土地のせまさから、建物の上昇性が強く、互いに背中合わせで建てられ、隣の建物と壁を共有している（4〜5階建ての構造、また雨が降らないため、屋根は平面）。イスラム教のムガル建築とラージプート建築双方の様式が融合し、商人や官吏は財産をハーヴェリーに注ぎこむことで、不動産とした。玄関に近い1階の中庭が来客や商談のための応接室で、上階や建物奥部が女性たちの生活空間となっていた。これらはキャラバン隊から徴収した税金、また交易によって得られた莫大な富をもとにしていて、王族、高級官吏のほか銀行家や商人が自身のハーヴェリーをもっていた。とくに豪商パトゥアー・グマン・チャンド、大臣サリーム・シンなどの有力者は、マ

★★★
ソナール・キラ（ジャイサルメール・フォート） Sonar Qila (Jaisalmer Fort)
パトウォン・キ・ハーヴェリー Patwon Ki Haveli

★★☆
ゴパ・チョウク Gopa Chowk
ジャイサルメール旧市街 Old Jaisalmer
ガンジー・チョウク・ロード Gandhi Chowk Road
ナトマル・キ・ハーヴェリー Nathmal Ki Haveli

★☆☆
アカイ・ポル Akhai Pol
ババ・ラームデーヴジー寺院 Sri Baba Ramdevji Mandir
スーラジ・ポル（太陽の門） Suraj Pol
展望台 City View Point
ジンダニ・チョウク Jindani Chowk
タール遺産博物館 Thar Heritage Museum
カディ・パリシャド Khadi Parishad
サンセット・ポイント Sunset Point

ハラーワル（ジャイサルメール王）に匹敵する大邸宅を有していた。

パトウォン・キ・ハーヴェリー ★★★

Patwon Ki Haveli ／ⓔ पटवों की हवेली ／ⓤ پٹوں کی حویلی

1805年、ジャイナ教徒の豪商パトゥアー・グマン・チャンドによって建てられたジャイサルメールでももっとも豪華なパトウォン・キ・ハーヴェリー。パトウォン家は金銀細工の宝石商からはじまって貿易商、金融業といった事業を手がけ、莫大な富を得て、その勢力は西インド一帯におよんだ。パトウォン家の5人兄弟はジャイサルメールに二度と戻らないつもりで各地におもむき、銀行・金融、銀、織物、アヘン取引などで成功してこの街に凱旋してきた。当主のパトゥアー・グマン・チャンドはそれを受けて、5人の息子のために5つの邸宅群からなる大邸宅パトウォン・キ・ハーヴェリーを用意した（彼らの凱旋後、交易都市ジャイサルメールの地位は低下し、一族は再びこの街を離れていった）。最大5層からなるジャイサルメールでも最大規模のハーヴェリーで、外壁、窓枠ともにびっしりと装飾がほどこされ、1階は商用、上階は住居として使われていた。道路をまたいで覆いかぶさる門からなかに入った広場には、音楽師や物売りたちの姿があるほか、このハーヴェリーの屋上からはソナール・キラはじめ、ジャイサルメール市街が一望できる。一族はジャイサルメールの没落とともに、大都市へ移住し、現在は博物館となっている。

ジャイサルメールから全インドへ

パトウォン一族はジャイサルメールで力をもったオズワル・ジャイナ教徒の商人を出自とする。19世紀初頭に生きたパトゥアー・グマン・チャンドはその才覚から富を蓄積し、ジャイサルメールで後世に名前を残すことに

彫刻職人たちによる一流の仕事ぶりが見られる

現在も人が暮らしているナトマル・ハーヴェリー

街で一番の邸宅パドウォン・ハーヴェリー

ハーヴェリー前の広場にて

なった。彼にはバハドゥルマール、サワイ・ラム、マガニ・ラム、ジョラワルマル、パルタップ・チャンドという5人の息子がいた。とくに四男ジョラワルマルは金融業者や商人から尊敬を集める力量をもち、荒廃したウダイプルの財政を大幅に建て直してさらに評価を高めた（300以上の事業を行なっていた）。ジャイサルメールのマハラーワル、ビカネール、ジョードプル、インドールの王のほか、イギリス人やマラータ人からも信頼されていた。最後はインドールで暮らしたが、彼の孫はインドールの政治家として成功をおさめている。またこの一族は1928年にアマル・サーガルに美しいジャイナ寺院を建て、そこには一族の系譜を示す碑文が残っている。

タール遺産博物館 ★☆☆

Thar Heritage Museum ㋪थार हेरिटेज म्यूजियम／㋒تھر ہیریٹیج میوزیم

ジャイサルメール旧市街の北門付近に立つ民間のタール遺産博物館。コイン、写本はじめ、ジャイサルメール王家の武器、狩猟用品、調度品、楽器などが展示されている。

カディ・パリシャド ★☆☆

Khadi Parishad ㋪खादी परिषद्／㋒کھادی پریشد

ジャイサルメールの工芸品を展示、販売するカディ・パリシャド。地元産業の振興を目的として設立された。

サンセット・ポイント ★☆☆

Sunset Point ㋪सनसेट पॉइंट／㋒غروب آفتاب پوائنٹ

ジャイサルメールにいくつかある夕陽を見るためのポイントのうち、こちらはマルカ・ゲートそばのサンセット・ポイント（さらに北西に位置するヴィアス・チャトリがより有名）。夕暮れとき、西に沈んでいく太陽が街を黄金色にそめあげる。

旧市街東城市案内

マハラーワル・アカイ・シンによって
1722年に造営されたロウワー・シティ（下街）
ガディサール・レイクに近い東門がもっともにぎわったという

サリーム・シン・キ・ハーヴェリー ★★☆

Salim Singh Ki Haveli Ⓔ सालिम सिंह की हवेली Ⓤ سليم سنگھ کی حویلی

　ジャイサルメール国の宰相をつとめたモフタ家の邸宅
サリーム・シン・キ・ハーヴェリー。モフタ家はジャイサル
メールの世襲の主席大臣で、このハーヴェリーは17世紀
に建てられたのち、増改築が続き、1815年、サリーム・シン
の時代に現在の姿になった（ちょうどパトウォン・キ・ハーヴェ
リーが建てられてから10年後のこと）。モフタ家の威勢を示すよ
うに、最上部には「ジャハズ・マハル（船の宮殿）」が空に浮か
ぶように立ち、「モティ・マハル（真珠の宮殿）」とも呼ばれる。
ジャイサルメール旧市街のほとんどの建築が2階建てで
あるなか、ソナール・キラの王宮と肩をならべるかのよう
な高さ6階建てのたたずまいを見せる。ハーヴェリー内
は、いくつもの部屋が入り組む複雑な構造をしていて、バ
ングラ式という四隅の垂れ下がった屋根、ジャーリーと
呼ばれる石の格子スクリーン、ジャロカーと呼ばれる装
飾的な出窓、豊かで複雑な彫刻など、あますことなくジャ
イサルメール建築の高さを見ることができる。このハー
ヴェリーの屋上から、ソナール・キラ内の宮殿に橋をかけ
る構想もあったと言われるが、1827年、サリーム・シンは
重税をかけるなどの悪政をとったことから暗殺された。
現在もサリーム・シンの子孫が暮らす。

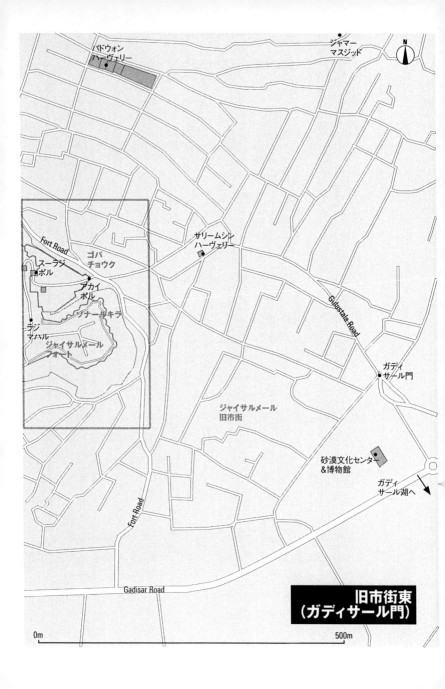

ジャマー
マスジッド

パドウォン
ハーヴェリー

Fort Road

ゴパ
チョウク

スーラジ
ポル

アカイ
ポル

サリームシン
ハーヴェリー

Gulastala Road

ジナーザキラ

ラジ
マハル

ジャイサルメール
フォート

ガディ
サール門

ジャイサルメール
旧市街

砂漠文化センター
&博物館

Fort Road

ガディ
サール湖へ

Gadisar Road

旧市街東
（ガディサール門）

0m   500m

野心家サリーム・シン

　　サリーム・シンが自らの邸宅サリーム・シン・キ・ハーヴェリーの高さを、ソナール・キラにあるラジ・マハルと同じ高さに改建したことから、ジャイサルメール王(マハラーワル)はその上の2階部分をとり壊すよう命じたという。モフタ家は王家の世襲の主席大臣で、その血統を受け継ぐサリーム・シンは、マハラーワル・ムルラジ2世(在位1761〜1819年)、ガジ・シン(在位1819〜46年)の時代に生き、これらジャイサルメール王をしのぐほどの権力をにぎった。サリーム・シンは残忍さと狡猾さで恐れられ、たとえばクルダラの84の村人たちはその悪政から逃れるため村ごと一夜にして捨て、無人となった(国を荒廃させた一方、芸術を愛し、美しいハーヴェリーを残した)。反感を買ったサリーム・シンは1824年に暗殺されかけ、一度はそれを切り抜けたが、1827年に自身の妻によって毒殺された。サリーム・シンの生きた時代は、1818年にジャイサルメールがイギリスの保護国となり、イギリスとアフガニスタンによるアフガン戦争が起こるなど、激動の近代でもあった。

★★★
ソナール・キラ(ジャイサルメール・フォート) *Sonar Qila (Jaisalmer Fort)*
ラジ・マハル(ロイヤル・パレス) *Raj Mahal (Royal Palace)*
パトウォン・キ・ハーヴェリー *Patwoon Ki Haveli*
★★☆
サリーム・シン・キ・ハーヴェリー *Salim Singh Ki Haveli*
ゴパ・チョウク *Gopa Chowk*
ジャイサルメール旧市街 *Old Jaisalmer*

★☆☆
砂漠文化センター&博物館 *Desert Culture Centre & Museum*
ジャマー・マスジッド *Jama Masjid*
アカイ・ポル *Akhai Pol*
スーラジ・ポル(太陽の門) *Suraj Pol*

マネク・チョウク ★☆☆
Manak Chowk／Ⓗ मानक चौक／Ⓤ مانک چوک

1156年にソナール・キラ(フォート)が造営されて以来、ジャイサルメール市街はこの上街(アッパー・シティ)にあったが、17世紀に最初にその外側の下街(ロウワー・シティ)に集落が形成された。その後、1722〜50年に城壁がめぐらされ、ここがジャイサルメール旧市街となっている。マネク・チョウクはこの旧市街でもっともにぎわう場所だったところで、旧市街の南側に位置する。もともと街は、金細工、金融業者、野菜店、穀物市場など、街区ごとに整備され、マネク・チョウクには露店やハーヴェリーを利用したホテルがならぶ。かつてはラクダのキャラバン隊が往来する姿があった。

ジャマー・マスジッド ★☆☆
Jama Masjid／Ⓗ जामा मस्जिद／Ⓤ جامع مسجد

ジャイサルメール旧市街にたたずむイスラム教のジャマー・マスジッド(モスク)。イスラム教徒が金曜日の集団礼拝に訪れる。ジャイサルメールではイスラム教徒が精巧な工芸品や建築装飾を手がけ、その仕事ぶりは現在のラジ・マハルやマンディル・パレスに残っている。1947年の印パ分離独立で、多くのイスラム教徒が国境を越えてパキスタン側に移住したが、ガディサール・レイク近くにはいくつかのモスクが残っている。

複雑な構造をもつサリームシン・ハーヴェリー

ソナール・キラへ続く通り

モティ・マハル(真珠の宮殿)ともたとえられる

モフタ家に伝わる遺産

砂漠とともに生きる

ラクダや音楽師
さまざまな人や動物が
営みを見せるタール砂漠

「砂漠の船」ラクダ

　100kmの荷物を抱えて1日20〜40kmの距離を歩け、数日間水を飲まずとも動けるラクダ。高さ1.8〜2.1m、全長2.5〜3mで、ひとこぶとふたこぶの2種類あり、ジャイサルメールではひとこぶラクダが見られる。背中のこぶに脂肪をふくむ体質、一度、食べたものを口に戻してからまた飲みこむ反芻という食事方法、砂上を歩くのに適したひずめをもつ(砂漠の常緑樹ケージュリーなどを食する)。家畜化されたラクダは、乗りもの、物資の運搬、農耕用にもちいられ、耐久性、砂上のスピード、最高速度の維持(馬より長い30分)といった観点から、「砂漠の船」にたとえられる。

砂漠の楽師マンガニヤール

　ジャイサルメールとその近郊の村々をまわって演奏する音楽師マンガニヤール。このマンガニヤールはイスラム教徒でありながら、ヒンドゥー教徒の出産や結婚などの行事や儀礼に呼ばれる。鍵盤楽器ハルモニウム、両面太鼓ドーラック、弓奏楽器カマイチャー、木製カスタネットなどを使ってラージプートの英雄譚や神話、女神の賛歌を語りついできた。またタール砂漠では音楽師のほかに、

人形芝居、蛇つかい、猿まわし、鍛冶屋などが定住せず、村から村へと放浪しながら生活を続けている。

ジプシーとタール砂漠

　バルカン半島からヨーロッパにかけて広く分布する「ロマ（ジプシー）」の原郷はタール砂漠にあると言われる。このロマは3〜10世紀にインドからヨーロッパに向けて出発したと言われ、人々は歌や踊り、楽器演奏をしながら移動生活を送ってきた（イスラム教徒の侵入から逃れることなどが理由にあげられ、13世紀にヨーロッパに到達した）。インド北部にロマとの関係が指摘されるバンジャーラ族が暮らすほか、ジャイサルメールはロマ発祥の地と見られるようになった。

集落から集落へと放浪する音楽師

「砂漠の船」と呼ばれるラクダ

ガディサール・ゲート近くにて

ガディサール湖はジャイサルメールのオアシス

Gadsisar Lake
ガディサールレイク城市案内

ジャイサルメール東門のガディサール・ゲートは
その外に広がるガディサール・レイクからとられている
ここはジャイサルメールのオアシス

ティーロン・ゲート ★☆☆
Tilon Ki Pol ⓗ तिलों की पोल／ⓤ تلوں کی پول

　通りをまたぐようにガディサール・レイクの入口に立つティーロン・ゲート(「娼妓の門」)。ジャイサルメール出身の娼妓(娼婦)ティーロンは、ハイデラバードに住んでいたが、毎年雨季にはジャイサルメールに戻ってきた。そのティーロンが建てたのがここティーロン・ゲートで、街の水源を見下ろすこの門が娼妓(娼婦)によるものであったことから、王女たちが激怒し、門のとり壊しをたくらんだ。するとティーロンは門の上階にサティヤ・ナーラーヤナ神(王家の信仰するヴィシュヌ派の神さま)を設置したため、誰も門に手出しができなくなった。ティーロン・ゲートは、チャトリをもつラジャスタン様式の建築となっている(ムガル様式の影響を受けたジャイプルなどでよく見られる建築様式)。

ガディサール・レイク ★★☆
Gadsisar Lake ⓗ गदिसर लेक／ⓤ گدیسر لیک

　ジャイサルメール市街南東部に広がる砂漠のなかのオアシス、ガディサール・レイク。ジャイサルメールは1156年、ジャイサル王が防衛に優れたトリクートの丘とそのそばに窪地(のちのガディサール・レイク)を発見して、街を築いたことにはじまる。14世紀の王ラーワル・ガルシ・シンが

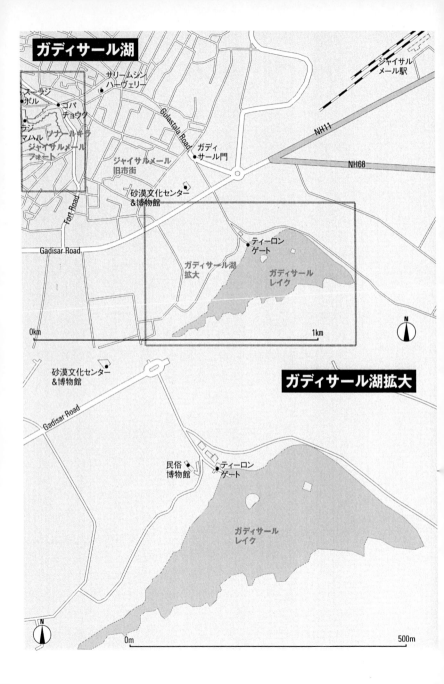

ガディサール湖

サリームシン
ハーヴェリー

スーラジ
ポル
ゴパ
チョウク
ラジ
マハル
ソナールキラ
ジャイサルメール
フォート
ジャイサルメール
旧市街
Gulastala Road
ガディ
サール門

ジャイサル
メール駅

NH11

NH68

砂漠文化センター
&博物館

Fort Road

Gadisar Road

ティーロン
ゲート
ガディサール湖
拡大
ガディサール
レイク

0km
1km
N

砂漠文化センター
&博物館

ガディサール湖拡大

Gadisar Road

民俗
博物館
ティーロン
ゲート

ガディサール
レイク

0m
500m
N

1367年、この湖を再整備し、その名前をとってガディサール・レイク(「ガルシのサーガル」)と呼ばれている。年間降水量150mmという砂漠の環境にあって、雨水をたくわえ、ジャイサルメールの人たちの貴重な水源となってきた(街はこの湖により近い東門が発展していた)。ラーワルはしばしばここに来て、より水が公平に分配されるように監督したという。ガディサール・レイクの水は、1965年の夏に干上がったが、15km離れたダーバラ村から水がひかれたほか、1993年からはインディラ・ガンジー運河(40km先のデーハ村)から水がひかれ、豊かな水をたたえている。湖面にそって階段状のガートが続き、チャトリが立つなど人々の憩いの場となっている。

民俗博物館 ★☆☆
Folk Museum／ⓣ लोक कला संग्रहालय　ⓤ لوک فن میوزیم

　ガディサール・レイク近くに位置するジャイサルメールの民俗博物館。タール砂漠に生きる人々の生活模様やこの街の文化、民俗にまつわる展示が見られる。

★★★
ソナール・キラ(ジャイサルメール・フォート) Sonar Qila(Jaisalmer Fort)
ラジ・マハル(ロイヤル・パレス) Raj Mahal(Royal Palace)
★★☆
ガディサール・レイク Gadsisar Lake
サリーム・シン・キ・ハーヴェリー Salim Singh Ki Haveli
ジャイサルメール旧市街 Old Jaisalmer
ゴパ・チョウク Gopa Chowk
★☆☆
ティーロン・ゲート Tilon Ki Pol
民俗博物館 Folk Museum
砂漠文化センター&博物館 Desert Culture Centre & Museum
ジャイサルメール鉄道駅 Jaisalmer Railway Station
スーラジ・ボル(太陽の門) Suraj Pol

砂漠文化センター&博物館 ★☆☆

Desert Culture Centre & Museum ／ ⓗ डेसर्ट कल्चरल सेंटर ／
ⓤ صحرائی ثقافت مرکز اور میوزیم

　ガディサール・ゲート近くに位置する砂漠文化センター&博物館。こぶりだが、タール砂漠の文化や民俗を紹介し、織物、コイン、化石、ラジャスタンの楽器やアヘン吸引のための箱も展示されている。

ジャイサルメール鉄道駅 ★☆☆

Jaisalmer Railway Station ／ ⓗ जैसलमेर रेलवे स्टेशन ／ ⓤ جیسلمیر ریلوے اسٹیشن

　ジャイサルメール鉄道駅は、西インド最果て地帯の鉄道駅。20世紀初頭に市街東部に建設された。ジョードプルなど他のラジャスタンと街と結ばれた街の玄関口となっている。

新市街城市案内

アマルサーガル・ゲート外に広がる新市街
砂漠に沈む美しい夕陽を見られる
サンセット・ポイントも位置する

ジャワハル・ニワス ★☆☆
Jawahar Niwas Palace ／ ⓣ जवाहर निवास पैलेस ／ ⓤ جواہر نواس محل

　ジャイサルメールは1818年以降イギリスの保護領となって近代化がはじまり、ソナール・キラのラジ・マハルで暮らしていたジャイサルメール王家も、生活様式の変化にあわせて平地に新たな宮殿を築いた。それがマハラーワル・ベリサル（在位1865〜91年）によるマンディル・パレスと、1900年ごろに建てられたジャワハル・ニワスで、当初、ジャワハル・ニワスはイギリスのインド総督代理（レジデント）の暮らす邸宅だった。「イシャル・バンガロー」と呼ばれていたこの邸宅も、のちにインド独立時の統治者ジャワハル・シン（在位1914〜49年）の名前に替えられた。ヨーロッパとこの地方の建築を融合させたインド・サラセン様式の堂々としたたたずまいで、内壁はヴィクトリア建築のような壁画でかざられている。現在、ジャワハル・ニワスはホテルとして開館している。

ジャイサルメール政府博物館 ★☆☆
Government Museum ／ ⓣ राजकीय संग्रहालय ／ ⓤ راجکیہ سنگرہالیہ

　ジャイサルメール西部の新市街に残るジャイサルメール政府博物館。研究を行なう考古学と博物館の部門があり、ラジャスタン州の国鳥ゴダワンはじめ、7〜9世紀の石

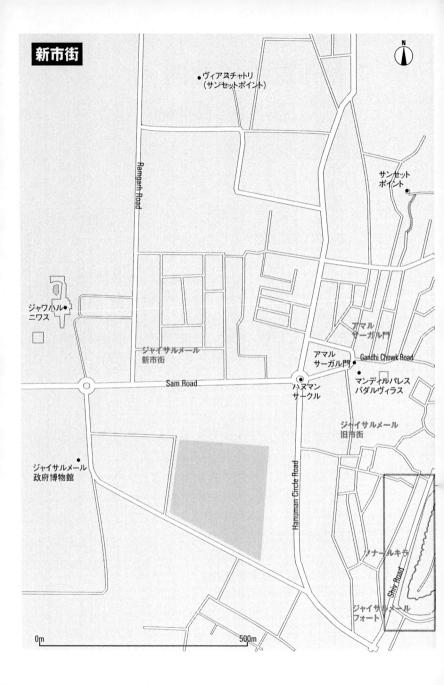

新市街

N

ヴィアスチャトリ
（サンセットポイント）

サンセット
ポイント

Ramgarh Road

ジャワハル
ニワス

アマル
サーガル門

ジャイサルメール
新市街

アマル
サーガル門

Gandhi Chowk Road

マンディルパレス
バダルヴィラス

Sam Road

ハヌマン
サークル

ジャイサルメール
旧市街

ジャイサルメール
政府博物館

Hanuman Circle Road

ソナールキラ

Shiv Road

ジャイサルメール
フォート

0m   500m

像、コインや絵画、衣服、ハンドクラフト、食器、宝石類などを展示する。建物はジャイサルメールで見られる黄砂岩の建築で、中央にこぶりなチャトリを二機載せ、両翼を広げたものとなっている。

ヴィアス・チャトリ（サンセット・ポイント） ★★☆

Vyas Chhatri／Ⓔ व्यास छतरी　Ⓗ ويّاس چّتری

　　ジャイサルメールの北西郊外に位置する小高い丘陵に展開するヴィアス・チャトリ（サンセット・ポイント）。ジャイサルメールのバラモン族の墓地が集まっている場所で、古代インド叙事詩『マハーバーラタ』を記した聖人ヴェド・ヴィヤスからその名前がとられている。ラジャスタンではムガル建築の影響を受けたチャトリ様式の墓が建てられ、チャトリとはヒンディー語で「傘」を意味する（川のないジャイサルメールでは、イスラム教の影響を受けてしばしば火葬後、墓がつくられた）。このヴィアス・チャトリのある丘は、夕陽を見る絶好のサンセット・ポイントとなっていて、地元の人びとがアルゴザという二重管楽器で音楽を演奏するといった光景も見られる。

サンセット・ポイントに残るヴィアス・チャトリ群

乾燥した気候で水分補給は必須

砂漠に浮かぶジャイサルメール
その周辺郊外のオアシスに点在する
王家の離宮へ足を伸ばす

バダ・バーグ ★☆☆
Bada Bagh ／ⓗ बड़ा बाग　ⓝ ﺑﺎﮒ

　ジャイサルメールの西10kmに位置する王室墓群のバダ・バーグ。ドーム型やピラミッド型の屋根を載せたチャトリ群がならび、ここにジャイサルメールを統治したラーワルやマハラーワルが眠っている（本来、ヒンドゥー教徒は火葬した遺灰を川に流すため、墓をつくらないが、イスラム教徒の影響を受けてこうした墓がつくられるようになり、とくにラジャスタン王侯たちの墓は各地で見られる）。「大きな庭園」を意味するバダ・バーグは、1513年ごろにジャイサルメールを統治するバティ・ラージプート族のジャイ・シン2世（在位1524〜28年）によって築かれたことをはじまりとし、その息子ルンカラン（在位1528〜51年）の時代に完成した。もっとも古いものはジャイ・シン2世の父デヴィダス（在位1467〜1524年）のチャトリで、新しいものとしては「最後のマハラーワル」ジャワハル・シン（在位1914〜49年）のもの。ジャワハル・シンのチャトリは彼の息子が即位1年で急死したこともあって、縁起が悪いとされ、不完全なままになっている。このバダ・バーグにはジャイナ教徒の集落もあり、王家の墓とは別に水辺よりも丘陵を好むジャイナ教徒の墓も残っている。

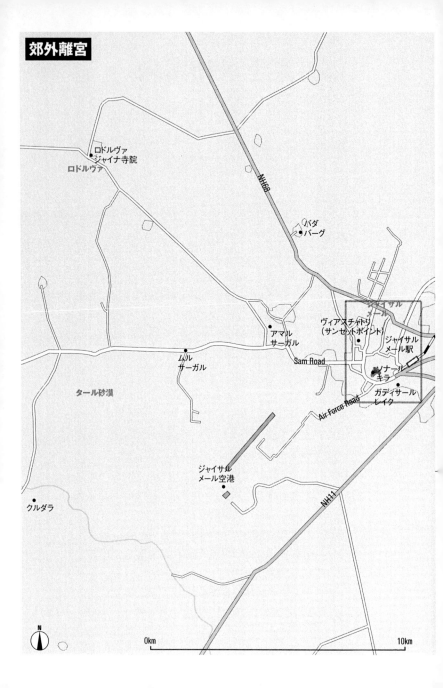

郊外離宮

ロドルヴァ
ジャイナ寺院
ロドルヴァ

NH68

バダ
バーグ

ヴィアスチャトリ
（サンセットポイント）

アマル
サーガル

ジャイサル
メール駅

Sam Road

ソナール
キラ

ムル
サーガル

ガディサール
レイク

タール砂漠

Air Force Road

NH11

ジャイサル
メール空港

クルダラ

N

0km

10km

アマル・サーガル ★☆☆

Amar Sagar ㋨ अमर सागर　㋐ امرساگر

　1688年、アマル・シン（在位1659～1701年）によって造営された人造湖や庭園の残るジャイサルメール王家の離宮アマル・サーガル。アマル・シンははじめてマハラーワル（偉大なラーワル）を名乗ったジャイサルメール王で、この時代、ジャイサルメールは交易を通して最高の繁栄を迎えていた。アマル・シンはシヴァ神の信者であったことから、シヴァ寺院が立つ。また続くアカイ・シン（在位1722～61年）はアマル・シン宮殿をこの地に造営し、1871年にはジャイナ寺院が建てられた。湖、離宮、庭園、寺院、階段状の井戸などの複合体からなるアマル・サーガルは、ジャイサルメール富裕層の格好の避暑地となっていた。ガディサール・レイクとともにジャイサルメールの貴重な水源でもあり、ジャイサルメール旧市街の西門は、アマル・サーガル門（アマル・サーガルへ続く門）という。マンゴーなどの果物の木に囲まれたこの地は、ジャイサルメール西7kmに位置する。

ムル・サーガル ★☆☆

Mool Sagar／㋨ मूल सागर　㋐ مول ساگر

　ジャイサルメールの西郊外に位置するムル・サーガル。アマル・サーガルと同じ王家の離宮で、18世紀末、マハ

★★★
ソナール・キラ（ジャイサルメール・フォート） *Sonar Qila (Jaisalmer Fort)*

★★☆
ロドルヴァ *Lodurva*
ロドルヴァ・ジャイナ寺院 *Lodurva Jain Mandir*
タール砂漠 *Thar Desert*
ヴィアス・チャトリ（サンセット・ポイント） *Vyas Chhatri*
ガディサール・レイク *Gadsisar Lake*

★☆☆
バダ・バーグ *Bada Bag*
アマル・サーガル *Amar Sagar*
ムル・サーガル *Mool Sagar*
クルダラ *Kuldhara*
ジャイサルメール鉄道駅 *Jaisalmer Railway Station*

ラーワル・ムルラジ2世(在位1761〜1819年) によって造営された。ムガル様式のチャハール・バーグとシヴァ寺院が見られ、広い中庭を囲むように回遊式の離宮が立つ。

ロドルヴァ ★★☆
Lodurva／ⓗ लोदुरवा／ⓤ لودروه

　ジャイサルメールに遷都される以前にバティ・ラージプート族の都がおかれていたロドルヴァ。ジャイサルメールから北西に15kmほど離れたカック川のほとりに位置する。王家は10世紀ごろからロドルヴァを根拠地とし、かつてはヒンドゥー寺院やジャイナ寺院が立つ美しい都市だった。しかし、この地は中央アジアのイスラム教徒がインドへ侵攻する道筋にあたることから、たびたびイスラム勢力の攻撃を受け、1152年と1615年に破壊をこうむっている。そのため、1156年、ジャイサル王はこの地から防衛上より優れているジャイサルメールへ遷り、そこに都を築いた。当時の面影はほとんどなく、ジャイサルメールの建築で使われる黄色砂岩の石切り場があるほか、中世以来、続く由緒正しいジャイナ寺院が残る。

バティ・ラージプートの祖地

　ジャイサルメールのバティ・ラージプート族は、古くはシアールコートなどのパンジャーブ地方にいたと考えられている。その後の731年、一族の名前となっているバティの息子マンガル・ラオの孫ケハールによって、ジャイサルメールの北西120kmのタノットに砦が築かれた。当時、このあたりのタール砂漠で、バティ・ラージプートとロドルヴァ・ラージプート(バラ・ラージプート)は敵対関係にあり、10世紀ごろ、デーヴァ・ラージがその戦いに勝利してロドルヴァを占領し、ロドルヴァ・ラージプート(バラ・ラージプート)の都ロドルヴァプールを引き継ぐことになっ

荒れ地のところどころに常緑樹が茂る

ロドルヴァのジャイナ寺院

ジャイナ建築の傑作が見られる

た。ロドルヴァはイスラム勢力の侵入もあって破壊され、1156年、ロドルヴァから15km離れた、より防御に優れた地ジャイサルメールにバティ・ラージプートの新たな都が遷されることになった。

ロドルヴァ・ジャイナ寺院 ★★☆

Lodurva Jain Mandir Ⓔ लौद्रवा जैन मंदिर Ⓟ لودرواجین مندر

ジャイナ教徒の巡礼地であり、精緻で美しい彫刻に彩られたロドルヴァ・ジャイナ寺院。この地にはジャイナ教の第23代祖師パールシュヴァナータがまつられた寺院が古くからあったが、1191〜92年のゴール朝のインド侵入時に破壊をこうむった。現在の寺院は1617年にタール・シャーハというジャイナ教商人によって再建されたもので、カック川の西岸に美しい姿を見せている。寺院前には音楽家の彫像が残る美しい門トーラナが立ち、その奥の本殿にはパールシュヴァナータがまつられている。古くからあったパールシュヴァナータ像は、1156年の遷都にあわせてジャイサルメールに運びだされたが、グジャラート職人による新たな像がおかれることになった(黒の石にパールシュヴァナータの表徴である蛇の天蓋をもつ)。本殿周壁の角にはそれぞれあわせて4つの寺院があり、南東は初代アディナータ、南西は第2代アジタナータ、北西は第3代サンバヴァナータ、北東はチンタマニ・パールシュヴァナータというようにジャイナ教祖師がまつられている。このロドルヴァ・ジャイナ寺院にほどこされた彫刻や意匠の水準、完成度はきわめて高く、ジャイサルメールの傑作建築にあげられる。また聖なる樹木「カルパ・タル(チャイティヤ)」が立っていて、この木は人びとの願いをかなえるという。

砂漠に伝わる物語

　現在のパキスタンにあたるシンド地方アマルコットの王マヘンドラと、ロドルヴァの王女ムーマル。マヘンドラは「魔法のラクダ」に乗ってタール砂漠を越え、毎晩、恋するムーマルのもとに通っていた。そんなある日、マヘンドラの妻は夫の浮気に怒って「魔法のラクダ」を隠し、ムーマルのもとへ行かせないようにした。一方、ムーマルは自身の妹を音楽師に変装させてマヘンドラを待ったが、マヘンドラは訪れないのでそのまま眠ってしまった。遅れてムーマルのもとへ到着したマヘンドラは、音楽師とともに眠っている王女を見て消沈し、シンドへ帰っていった。それに気づいたムーマルと妹のふたりはシンドのマヘンドラのもとへ行き、妹はその誤解をとくが、ムーマルは川で溺れ死んでしまった。この物語に登場するムーマルの宮殿跡と推測される遺跡が残っている。

クルダラ ★☆☆
Kuldhara ⓣ कुलधरा ⓞ كلدهارا

　ジャイサルメール郊外に残る廃墟の村クルダラ。19世紀初頭までこのあたりでもっとも豊かな村だったが、ジャイサルメールの大臣サリーム・シンの悪政から逃れるため、村は放棄された（サリーム・シンの富は、1815年に建てられたサリーム・シン・キ・ハーヴェリーとして見られる）。1800年代、一夜にして84の村の村人たち5000人ほどが真夜中に脱出したことで、当時の様子がそのまま残ることになった。村人たちがどこに消えたかは今もわかっていない。灌木が点在するなか、黄色砂岩製の寺院やチャトリが残っている。

聖なる樹木「カルパ・タル（チャイティヤ）」

砂漠と同じ黄砂岩色のたたずまい

ジャイサルメールのもの売り

Around Jaisalmer

郊外城市案内

街を離れると褐色の大地に
ぽつり、ぽつりと草木が見える
美しい縞模様を描く砂丘も位置する

タール砂漠 ★★☆

Thar Desert Ⓔ थार रेगिस्तान／Ⓤ صحرائے تھر

インド西部からパキスタンへ続く長さ800km、幅320km
のタール砂漠(大インド砂漠)。イラン、アフガニスタン、パキ
スタンから続く砂漠のなかで、この東端のタール砂漠だ
けが南西モンスーンによる夏の雨の恵みを受ける(この地
は紀元前2000～前1500年ごろに乾燥期がはじまり、紀元前後には砂漠化
した)。ときに砂まじりの強風が吹きつける過酷な環境の
なか集落が点在し、ジャイサルメールはこの砂漠のちょ
うど中心に位置する。砂漠の植物は深く根をはり、地下水
から水分をとる。かつては盗賊も多く現れ、猛毒をもつサ
ソリや蛇の被害も出た。現在、印パ国境線に沿うようにビ
カネールからジャイサルメールにかけてインディラ・ガ
ンディー運河が開削され、砂漠の緑化計画も進められて
いる。

砂漠を越えて

タール砂漠を越えてパキスタン側バハーワルプールの
南に位置するデラワール・フォートは、18世紀、ジャイサ
ルメール王によって建てられた(現在のような国境線はなかっ
た)。当時はジャイサルメール国、その北のビカネール国、

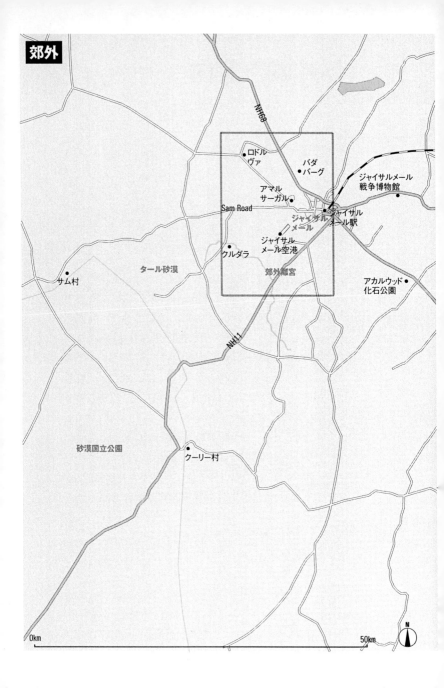

郊外

NH68

ロドルヴァ

バダバーグ

ジャイサルメール戦争博物館

アマルサーガル

Sam Road

ジャイサルメール駅

ジャイサルメール

クルダラ

ジャイサルメール空港

タール砂漠

郊外離宮

サム村

アカルウッド化石公園

NH11

砂漠国立公園

クーリー村

0km

50km

N

その西のバハーワルプール国、これらの地域を横断する隊商が行き交っていた。1947年の印パ分離独立にあたって、ジャイサルメールとビカネールはヒンドゥー教国だったことからインドへ、バハーワルプールはイスラム教国だったことからパキスタンへ編入された。インドとパキスタンの国境はおもに最北のカシミール山岳地帯、北のパンジャーブ平原、南のタール砂漠、最南のカッチ湿原といった地域にまたがり、地形上の制約などからパンジャーブ平原とタール砂漠が最大の要衝となっている。

砂漠国立公園 ★☆☆
Desert National Park ／ⓣ デザート ネシナル パーク／ⓤ صحرائی نیشنل پارک

　インド北西部にあるタール砂漠のうち、ジャイサルメール・エリア(1900平方キロメートル)とバルメル・エリア(1262平方キロメートル)をあわせた砂漠国立公園(3162平方キロメートル)。このうち面積の44.8％が砂丘であることがこの公園の特徴で、ほかの砂利質、岩質の荒れ地もあわせて210〜300mほどの標高で砂漠が続いていく。世界で最も重い空を飛ぶ鳥と言われるグレート・インディアン・バスタードをはじめとする鳥類、18種類のヘビ、は虫類や哺乳類が生息する。この砂漠国立公園のなかに集落が点在している。

★★☆
タール砂漠 *Thar Desert*
サム村(サム砂丘) *Sam Sand Dunes*
クーリー村(クーリー砂丘) *Khuri Sand Dunes*
ロドルヴァ *Lodurva*

★☆☆
アカルウッド化石公園 *Akal Wood Fossil Park*
ジャイサルメール戦争博物館 *Jaisalmer War Museum*
砂漠国立公園 *Desert National Park*
バダ・バーグ *Bada Bag*
アマル・サーガル *Amar Sagar*
クルダラ *Kuldhara*
ジャイサルメール鉄道駅 *Jaisalmer Railway Station*

サム村 (サム砂丘) ★★☆
Sam Sand Dunes／ⓔ सैम रेत टिब्बा ⓤ سام ريت ٹبّا

　パキスタンの国境までわずかの距離、ジャイサルメールの西45kmに位置するサム村。近くのサム砂丘は長さ3km、幅1km、高さ0.5kmほどの規模で、風のつくった美しい縞模様の砂丘が広がる (砂漠には荒れ地の「沙漠」と砂の「砂漠」があるなか、タール砂漠の特徴は、砂地の占める割合が大きく、この砂丘は風による砂の堆積によって形成された)。波打つ砂丘は、刻々と変化し、砂漠の稜線に沈んでいく夕陽が見られるなど、キャメル・サファリの足がかりになっている。また毎年2月、ここサム砂丘では、砂漠祭りが3日間に渡って開催され、歌や踊り、ラクダのレースなどが行なわれる。またサム村では、直径4mほどの日干しレンガによる円形家屋に藁葺き屋根を載せる、この地方の民家ブンガも残っていて、風をさけるようにならんでいる。

クーリー村 (クーリー砂丘) ★★☆
Khuri Sand Dunes ⓔ खुरी रेत टिब्बा ⓤ خوری ريت ٹبّا

　クーリー村はタール砂漠の伝統的な集落のひとつで、現在はキャメル・サファリを目的に多くの人が訪れている。この村の近くのクーリー砂丘は、砂が豊富に堆積していて、風 (自然) のつくり出した美しい縞模様を見ることができる (一般的に西アジアでは、ごつごつとした岩の散在する荒れ地の「沙漠」が多いが、タール砂漠では砂丘で形成された美しい「砂漠」が広がっている)。クーリー村の民家では、藁葺き屋根をもつ円形家屋の壁に描かれた卍などの文様や花模様を見ることができる。ジャイサルメールの南西郊外50kmの地点に位置する。

アカルウッド化石公園 ★☆☆
Akal Wood Fossil Park ⓔ आकल वुड फॉसिल पार्क／ⓤ اکال وود فوسل پارک

　化石化した先史時代の倒木や折れた丸太はじめ、太古

ラクダが砂漠に足あとを残していく

砂漠の夜、たきぎをして身をあたためる

インドの代表的な軽食パニプリの屋台

同じ方角、太陽のほうを向くラクダたち

の自然の足跡を見ることができるアカルウッド化石公園。この地では1億8千万年前のジュラ紀には森が広がっていた(当時は高温多湿な気候だったが、その後、乾燥化した)。アカルウッド化石公園では化石化した大小さまざまな樹木が見られ、数百万年前にジャイサルメールは水没して海の一部になっていたことから、当時の貝殻も発見されている。

ジャイサルメール戦争博物館 ★☆☆
Jaisalmer War Museum ⓔ जैसलमेर युद्ध संग्रहालय／ⓤ عجائب گھر جنگ جیسلمیر

　　ジャイサルメールはパキスタンとの国境に近い西インドの最果ての地にあり、印パ戦争の最前線にもなってきた。ジャイサルメール戦争博物館は、1965年のインド・パキスタン戦争(第2次印パ戦争)と1971年のロンゲワラの戦い(第3次印パ戦争)で生命を落とした兵士たちを記念して建てられた(カシミールの帰属をめぐって1947年にはじまった第1次印パ戦争はカシミールに限定されていたが、第2次、第3次印パ戦争ではジャイサルメール近郊が戦地になった)。インド軍が使用した戦車、銃、軍用車などの武器が展示されているほか、戦闘に関する映画が上映され、戦争で生命を落とした兵士の壁画も見られる。ここはジャイサルメールの軍事基地拠点でもある。

Border Area
国境地帯城市案内

1947年の印パ分離独立は
ジャイサルメールの性格を大きく変えた
砂漠のなかの国境地帯

ポカラン ★☆☆
Pokhran ⓗ पोखरण／ⓤ پوکھرن

　西インドのタール砂漠に点在する街のなかで、ジャイ
サルメールとならんで主要都市であったポカラン(ちょ
うどジャイサルメールとマールワール＝ジョードプルの国境地帯にあっ
た)。城砦都市フォート・ポカランが残っているほか、18世
紀のジャイナ寺院やモスクをはじめ勝利の塔、遺跡など
が位置する。このポカランは1974年と1998年、地下100m
以下の深さで、核実験が行なわれた場所としても知られ
る。1974年の核実験時、「Buddha is Smiling (ブッダは微笑む)」
という成功を知らせる電報が打たれた(印パ国境に近く、人口
密度の低いことなどからポカランの地が選ばれた)。インドとパキス
タンは1947年、65年、71年の三度に渡って戦争を行なっ
ている。ジャイサルメールの東60km。

ラームデーヴ寺院 ★☆☆
Ramdeva Mandir ⓗ बाबा रामदेव मंदिर ⓤ بابا رامدیو مندر

　14世紀、ラジャスタンを中心に活動した聖者ラーム
デーヴをまつるラームデーヴ寺院。ババ・ラームデーヴ
ジーは誰にもわけへだてなく接し、ヒンドゥー教徒とイ
スラム教徒の双方から信仰を受けた(ヴィシュヌ神とも同一
視された)。この地はラームデーヴが拠点とし、生涯を終え

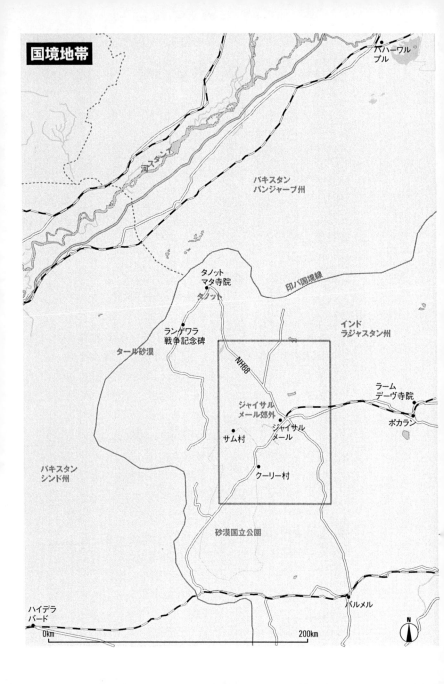

国境地帯

バハーワル
プル

パキスタン
バンジャーブ州

印スタン河

タノット
マタ寺院
タノット

印パ国境線

ランゲワラ
戦争記念碑

インド
ラジャスタン州

タール砂漠

NH68

ラーム
デーヴ寺院

ジャイサル
メール郊外

ポカラン

サム村

ジャイサル
メール

パキスタン
シンド州

クーリー村

砂漠国立公園

ハイデラ
バード

バルメル

0km   200km

N

た場所で、巡礼に訪れる信者の姿がある。ポカランの北12km。

タノット・マタ寺院 ★☆☆

Tanot Mata Mandir ⓗतनोट माता मंदिर／ⓤ تنوٹ ماتا مندر

　印パ国境に近い、ジャイサルメールから北西120km離れたタノットに立つタノット・マタ寺院。タノットはジャイサルメール王家(バティ・ラージプート)がロドルヴァ以前の731年に砦を築いていた場所で、タール砂漠の要衝の地という性格をもっていた。タノット・マタは、グジャラートを中心にラジャスタン、パキスタン地域などでも見られる女神信仰ヒングラージに由来する(シヴァ神の妻サティの身体の一部が、この地に落ちたという神話にもとづく西インドの女神信仰)。とくに1965年の印パ戦争でタノットで、パキスタン側による約3000発の砲撃を受けたが、寺院への被害はなく、それはこの地の女神の力であると考えられた。戦後、国境警備隊(BSF)が寺院を再建し、この寺院の管理をしている。タノット・マタはヒングラージの生まれ変わりだと考えられ、戦いの女神として信仰を集めている。

ランゲワラ戦争記念碑 ★☆☆

Longewala War Memorial ⓗलोंगेवाला वॉर मेमोरियल
ⓤ لانگیوالا وار میموریل

　印パ国境線までわずか13kmほどの地点に位置するランゲワラ。1971年12月3〜17日に起こった第3次印パ戦

争で、最初の激戦地となり、ランゲワラのインド軍は犠牲を出しながらもパキスタン軍を阻止した。このランゲワラ戦争記念碑は、戦場のすぐそばに立ち、戦いで生命を落とした兵士がまつられている。

城市のうつりかわり

地平線まで続く広大なタール砂漠
蜃気楼のように突如現れる
ジャイサルメールの歩み

ジャイサルメール以前(〜12世紀)

　8〜12世紀、北インドでは血縁関係のある氏族ごとの
ラージプート王朝がいくつも樹立されていた(ラージプート
族は、5世紀ごろインドに侵入してきた異民族や、土着の民族を出自とす
る)。6世紀ごろ、バティ・ラージプート族は、パンジャーブ
地方にいたが、8世紀以降のイスラム勢力の侵入を受けて
南のタール砂漠に逃れた。第11代デーヴァ・ラージ王のと
き(10世紀)、ロドルヴァに都をおいて、この地方での礎を築
いた。こうしたなか、中央アジアのイスラム勢力によるイ
ンド侵入がはじまり、1026年のガズナ朝、1103年のゴー
ル朝と、いずれもグジャラートへ侵攻する途上のイスラ
ム勢力の攻撃を受け、ロドルヴァの防衛上の弱点が浮き
彫りになっていた。

ジャイサルメールの建設(12〜16世紀)

　第17代ラワル・ジャイサル王はロドルヴァの東15kmに
ある窪地と台地に注目し、1156年、都を築いて、この王の
名前からジャイサルメールと名づけられた。ここはジャ
イナ教の聖地(フォート南西部)があったところで、台地上に
宮殿、寺院、民家、商店を集め、その周囲に城壁をめぐらせ

た。1206年にデリーでイスラム王朝(デリー・サルタナット朝)が樹立されると、ヒンドゥー教徒やジャイナ教徒が砂漠に位置するジャイサルメールに逃れてきた。王朝の興亡が続いた中世インドでは、砂漠を通る隊商ルートのほうがより安全になり、交易商人、金融業者が集まって街は発展を見せた。

ジャイサルメールの発展(16~19世紀)

16世紀、強大なイスラム王朝のムガル帝国が樹立されると、ジャイプルやジョードプルなど有力なラージプート王朝はムガルの宗主権を認めるようになった。ジャイサルメールも1570年にムガル帝国に従い、ムガル後宮に王妃を送っている(当時のジャイサルメールはアジメール州のビカネールに属していた)。この時代、ヒンドゥー教徒、ジャイナ教徒のほかに、イスラム教徒の人口も増え、イスラム教徒はムガル建築や彫刻、絵画などをジャイサルメールに伝えた。またソナール・キラの外側に人が暮らすようになり、商人や官吏たちは交易で得た莫大な富で邸宅ハーヴェリーを建てた。この市街(旧市街)を囲むように、市壁がめぐらされていた。

ジャイサルメールの衰退(19~20世紀)

ジャイプルやジョードプルとともに1818年から、ジャイサルメールはイギリスの保護国となった。そして1869年、ヨーロッパとインドを結ぶスエズ運河が開通すると、大量に、安く運べる海運が発達するなど、人びとの生活が大きく変貌していった。イギリスの植民都市ムンバイが急速な発展を見せ、一方、陸路交通の要衝だったジャイサルメールはその繁栄を陰らせていった(ジャイサルメールを拠点としていた商人や金融業者は、ムンバイやコルカタに移住した)。こう

幼児、未婚、既婚と変化していく女性の装飾

夜、ライトアップされて浮かびあがるジャイサルメール・フォート

広場にはさまざまな人が集まってくる

太陽の光を受けて輝くゴールデン・シティ

した流れは、1947年の印パ分離独立で、ジャイサルメールの西側に国境線がひかれて決定的となり、街はとり残された「孤島」のようになった。

現代のジャイサルメール（20世紀〜）

再び、ジャイサルメールが注目されるのは1965年ごろ、石油が発見されたこと、印パ対立のなかでパキスタンに近い立地から空軍基地がおかれたことによる（1974年、東60kmのポカランで、インドではじめて核実験が行なわれた）。20世紀末にさしかかると、発展からとり残されたゆえに中世の面影をそのまま残す、この街の観光地という一面が注目され、宮殿列車も走るようになった。砂漠のなかに忽然と姿を現すソナール・キラ（フォート）、街を彩る黄色砂岩の豪華なハーヴェリー、ラクダで砂漠へ向かうキャメル・サファリ、ジプシーの故郷と言われる民俗芸能など、多くの魅力をもつ観光都市となっている。

『「at」誌 1995年 7月号「ジャイサルメル特集」』(神谷武夫/デルファイ研究所)

『ジャイサルメルの伝統的都市住居における空間構成と生活様式』(荻野隆博・長田久美・渡辺猛・八木幸二・那須聖・茶谷正洋/学術講演梗概集)

『世界歴史の旅北インド』(辛島昇・坂田貞二/山川出版社)

『ジプシーの来た道』(市川捷護/白水社)

『ディティール140号』(彰国社)

『中世インド建築史紀行』(小寺武久/彰国社)

『ジャイサルメルの伝統的都市住居における段階的な構成からみた空間構成と生活様式』(長田久美/法政大学大学院修士学位論文)

『伝承と社会関係--インド・タール沙漠における女神の「物語」とその偏差をめぐって』(小西公大/現代民俗学研究)

『インド建築案内』(神谷武夫/TOTO出版)

『History, art & architecture of Jaisalmer』(R. A. Agarawala/Agam Kala Prakashan)

Jaisalmer - the official portal of Jaisalmer District, Rajasthan https://jaisalmer.rajasthan.gov.in/

Rajasthan Tourism - Government of Rajasthan http://www.tourism.rajasthan.gov.in/

Kothari's Patwa Haveli Heritage Jaisalmer Rajasthan www.patwahaveli.com

『Visiting the Jaisalmer Desert Festival? 5 things to do in the golden city』(Pimputkar、Sonali/Free Press Journal)

『Heart of the desert: Jaisalmer』(The Times of India)

神谷武夫とインドの建築 http://www.kamit.jp/

『अद्भुत है 'बम वाली' देवी, मां के चमत्कार देख झुक गया था पाकिस्तानी बुरगिडयिर मां के सामने पाकिस्तान के 3000 बम भी हो गए थे बेअसर,』(Devendra Kashyap/patrika)

『世界大百科事典』(平凡社)

OpenStreetMap

(C)OpenStreetMap contributors

まちごとパブリッシングの旅行ガイド

Machigoto INDIA , Machigoto ASIA , Machigoto CHINA

マカオ-まちごとチャイナ

Juo-Mujin（電子書籍のみ）

自力旅游中国Tabisuru CHINA

旅のインド文字

英語
ヒンディー語
ウルドゥー語

英語 ＝ アルファベット
ヒンディー語 ＝ デーヴァナーガリー文字
ウルドゥー語 ＝ ウルドゥー文字

ジャイサルメール
Jaisalmer

जैसलमेर

جیسلمیر

ソナール・キラ（ジャイサルメール・フォート）
Sonar Qila (Jaisalmer Fort)

जैसलमेर का किला

جیسلمیر قلعہ

ゴパ・チョウク
Gopa Chowk

गोपा चौक

گوپا چوک

フォート門
Fort Gate

किला गेट

قلعہ گیٹ

アカイ・ポル
Akhai Pol

अखई पोल

اکھائی پول

ババ・ラームデーヴジー寺院
Sri Baba Ramdevji Mandir

श्री बाबा रामदेव जी मंदिर

بابا رام دیو جی مندر

スーラジ・ポル（太陽の門）
Suraj Pol

सूरज पोल

سورج پول

ハワ・ポル（風の門）
Hawa Pol

हवा पोल

ہوا پول

城壁
Wall

दीवार

وال

ダシャラー・チョウク
Dussehra Chowk

दशहरा चौक

دسہرہ چوک

ラジ・マハル（ロイヤル・パレス）
Raj Mahal（Royal Palace）

राज महल

راج محل

ガジ・ヴィラス
Gaj Villas

गज विलास

گج ولاز

サルヴォッタム・ヴィラス
Sarvottam Villas

सर्वोत्तम विलास

سروو تھم ولاز

ラング・マハル（色彩の館）
Rang Mahal

रंग महल

رنگ محل

ゼナーナ・マハル（女子の館）
Rani Ka Mahal

रानी महल

رانی کا محل

モティ・マハル（真珠の館）
Moti Mahal

मोती महल

موتی محل

謁見所
Audience Seats

दर्शकों की सीटें

سامعین کی نشستیں

ジャイナ寺院群
Jain Mandir

जैन मंदिर

جین مندر

リシャブデヴ寺院
Rishabdev Mandir

ऋषभदेव मंदिर

رشبھدیو مندر

チャンドラプラブ寺院
Chandraprabhu Mandir

चंद्रप्रभु मंदिर

چندرپربھو مندر

パールシュヴァナータ寺院
Paraswanath Mandir

पार्श्वनाथ मंदिर

پارشوناتھ مندر

シータラナータ寺院
Shitalnath Mandir

शीतलनाथ मंदिर

شیتل ناتھ مندر

サンバヴァナータ寺院
Sambhavanath Mandir

सम्भवनाथ मंदिर
سمبھوناتھ مندر

クントゥナータ寺院
Kunthunath Mandir

कुंथुनाथ मंदिर
کنتھوناتھ مندر

シャンティナータ寺院
Shantinath Mandir

शांतिनाथ मंदिर
شانتی ناتھ مندر

ラクシュミー・ナラヤン寺院
Laxmi Narayan Mandir

लक्ष्मी नारायण मंदिर
لکشمی نارائن مندر

アンナプルナ女神寺院
Annapurna Devi Mandir

अन्नपूर्णा देवी मंदिर
اننا پورنا دیوی مندر

ジャイサル井戸
Jesloo Kua

जैसल कुआँ
جیسل باوری

マハーヴィラ寺院
Mahavira Mandir

महावीर मंदिर
مہاویر مندر

展望台
City View Point

सिटी व्यू पॉइंट
سٹی ویو پوائنٹ

チャームンダ女神寺院 Chamunda Devi Mandir	ジャイサルメール旧市街 Old Jaisalmer
श्री चामुंडा मंदिर چمونڈہ مندر	पुरानी जैसलमेर پرانی جیسلمیر
アマルサーガル・ゲート Amar Sagar Pol	マンディル・パレス Mandir Palace
अमर सागर पोल امر ساگر پول	मंदिर पैलेस مندر پیلس
バダル・ヴィラス（雲の宮殿） Badal Villas	ガンジー・チョウク・ロード Gandhi Chowk Road
बादल विलास بادل ولاز	गाँधी चौक मार्ग گاندھی چوک روڈ
ジンダニ・チョウク Jindani Chowk	ナトマル・キ・ハーヴェリー Nathmal Ki Haveli
जिंदानी चौक جندانی چوک	नथमल की हवेली نتھمل کی حویلی

パトウォン・キ・ハーヴェリー Patwon Ki Haveli पटवों की हवेली پٹون کی حویلی	タール遺産博物館 Thar Heritage Museum थार हेरिटेज़ म्यूजियम تھر ہیریٹیج میوزیم
カディ・パリシャド Khadi Parishad खादी परिषद کھادی پیشد	サンセット・ポイント Sunset Point सनसेट पॉइंट غروب آفتاب پوائنٹ
サリーム・シン・キ・ハーヴェリー Salim Singh Ki Haveli सालिम सिंह की हवेली سلیم سنگھ کی حویلی	マネク・チョウク Manak Chowk मानक चौक مانک چوک
ジャマー・マスジッド Jama Masjid जामा मस्जिद جامع مسجد	ティーロン門 Tilon Ki Pol तिलों की पोल تیلوں کی پول

ガディサール湖
Gadsisar Lake

गदिसर लेक

گیڈمار جھیل

民俗博物館
Folk Museum

लोक कला संग्रहालय

لوک میوزیم

砂漠文化センター&博物館
Desert Culture Centre & Museum

डेसर्ट कल्चरल सेंटर

صحرا ثقافت مرکز اور میوزیم

ジャイサルメール鉄道駅
Jaisalmer Railway Station

जैसलमेर रेलवे स्टेशन

جیسلمیر ریلوے اسٹیشن

ジャワハル・ニワス
Jawahar Niwas Palace

जवाहर निवास पैलेस

جواہر نیواس محل

ジャイサルメール博物館
Government Museum

राजकीय संग्रहालय

گورنمنٹ میوزیم

ヴィアス・チャトリ（サンセット・ポイント）
Vyas Chhatri

व्यास छतरी

ویاس چھتری

バダ・バーグ
Bada Bagh

बड़ा बाग

بڈا باغ

アマル・サーガル Amar Sagar अमर सागर امر ساگر	ムル・サーガル Mool Sagar मूल सागर مول ساگر
ロドルヴァ Lodurva लोदुरवा لودوروا	ロドルヴァ・ジャイナ寺院 Lodurva Jain Mandir लौद्रवा जैन मंदिर لودوروا جین مندر
クルダラ Kuldhara कुलधरा کلدھارا	タール砂漠 Thar Desert थार रेगिस्तान صحرائے تھر
砂漠国立公園 Desert National Park डेजर्ट नेशनल पार्क صحرا نیشنل پارک	サム村 Sam Sand Dunes सैम रेत टिब्बा سام ریت کے ٹیلے

クーリー村
Khuri Sand Dunes

खुरी रेत टिब्बा

خوری ریت کے ٹیلے

アカルウッド化石公園
Akal Wood Fossil Park

आकल वुड फॉसिल पार्क

اکال ووڈ فوسل پارک

ポカラン
Pokhran

पोखरण

پوکھراں

ジャイサルメール戦争博物館
Jaisalmer War Museum

जैसलमेर युद्ध संग्रहालय

جیسلمیر وار میوزیم

ラムデブラ寺院
Ramdeva Mandir

बाबा रामदेव मंदिर

رام دیو مندر

タノット・マタ寺院
Tanot Mata Mandir

तनोट माता मंदिर

تنوٹ ماتا مندر

ランゲワラ戦争記念碑
Longewala War Memorial

लोंगेवाला वॉर मेमोरियल

لانگ والا وار میموریل

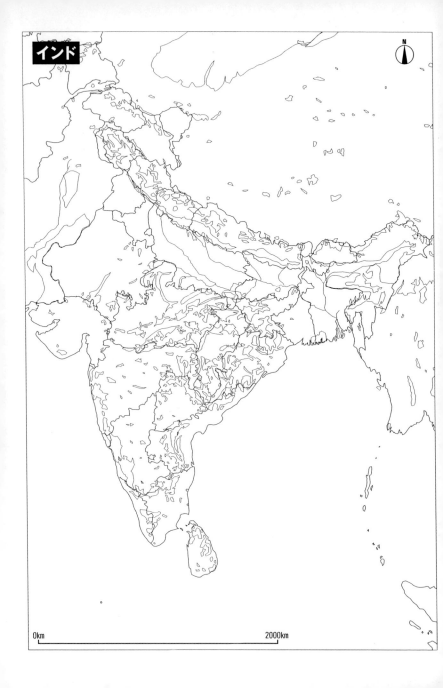

インド

N

0km　　　　　　　　　　　　　　　　　2000km

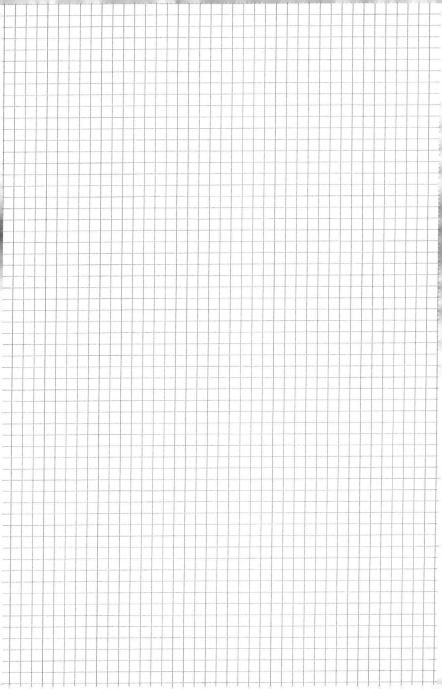

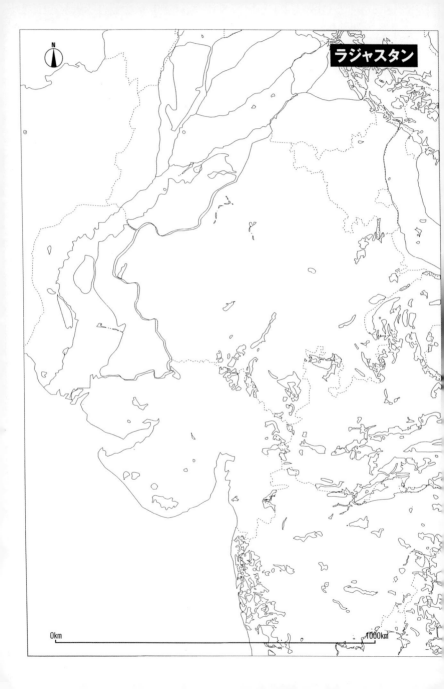

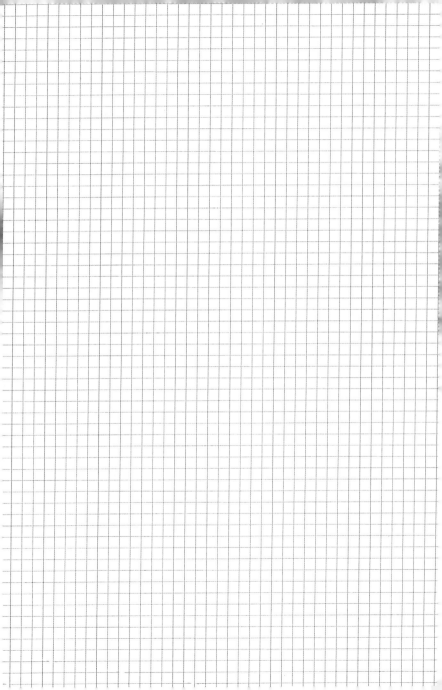

ジャイサルメール

N

0km   2km

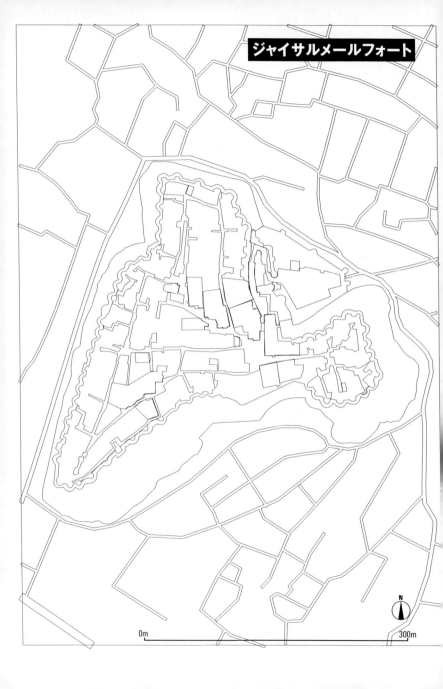

ジャイサルメールフォート

0m   300m

N

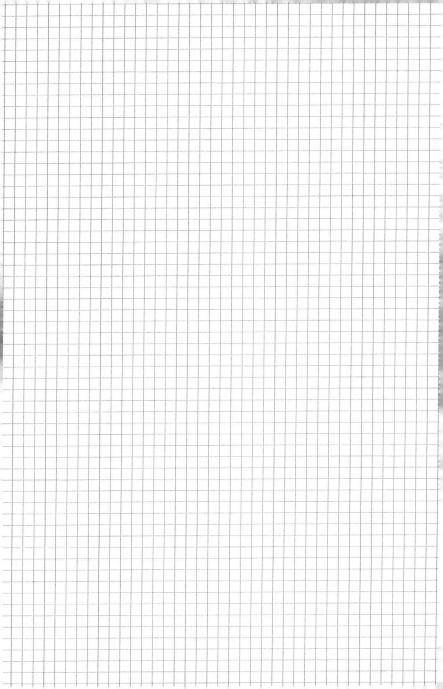

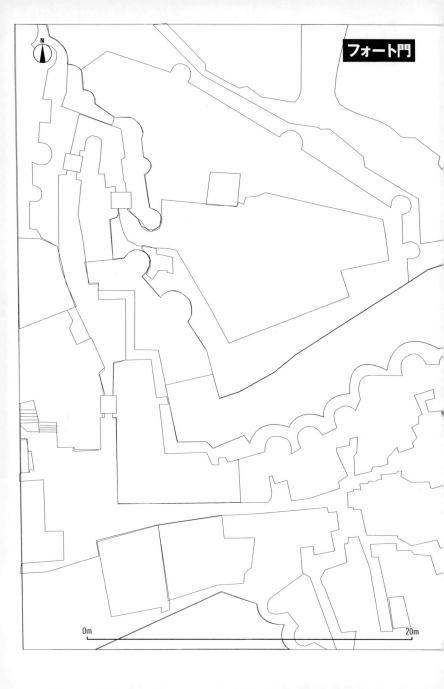

フォート門

N

0m　　　　　　　　　　　　　　　　　20m

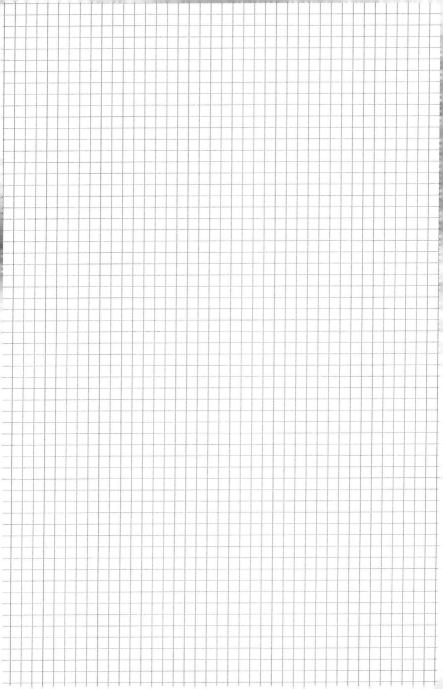

ラジマハル
（ロイヤルパレス）

0m 　　　　　　　　　　　　　　　　　　　　　　10m

N

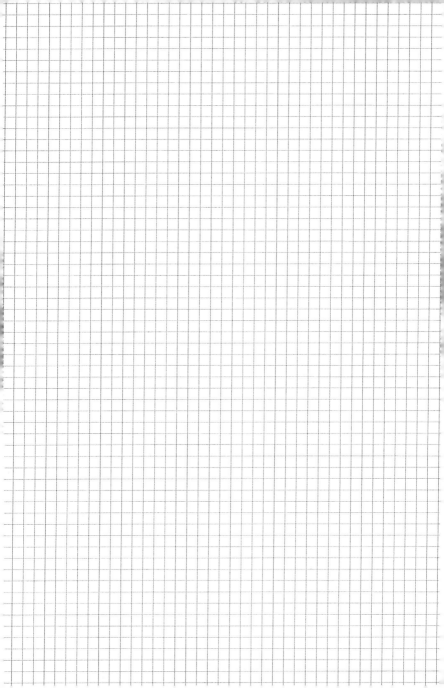

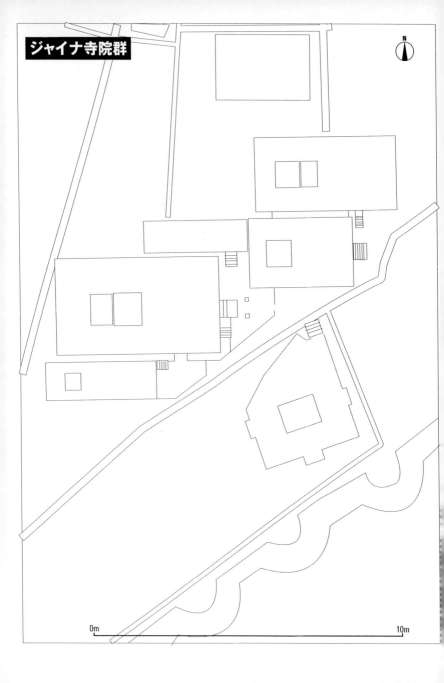

ジャイナ寺院群

0m   10m

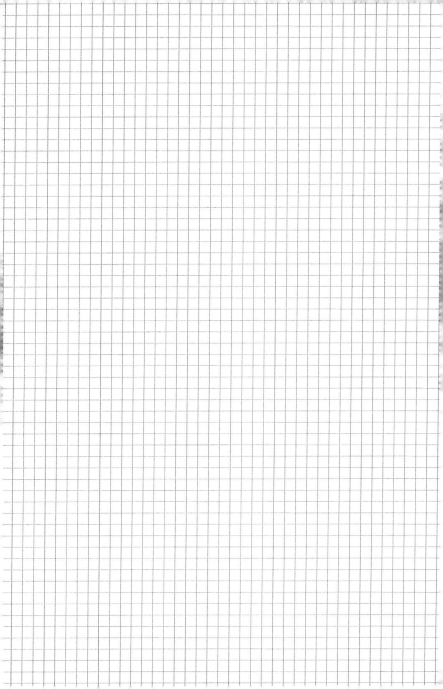

旧市街西（アマ
ルサーガル門）

N

0m   500m

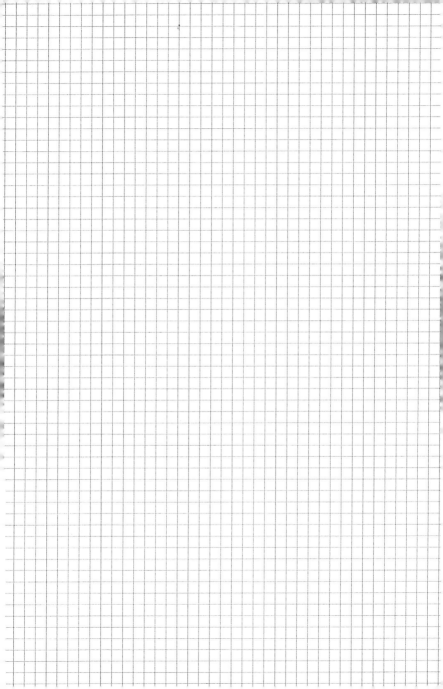

旧市街北
（マルカ門）

0m   500m

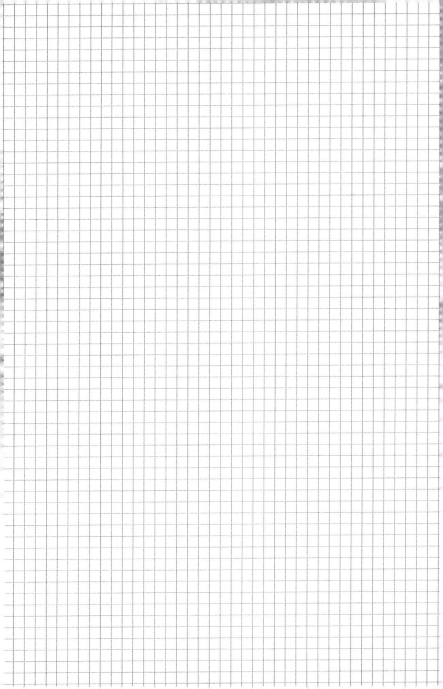

旧市街東
（ガディサール門）

0m   500m

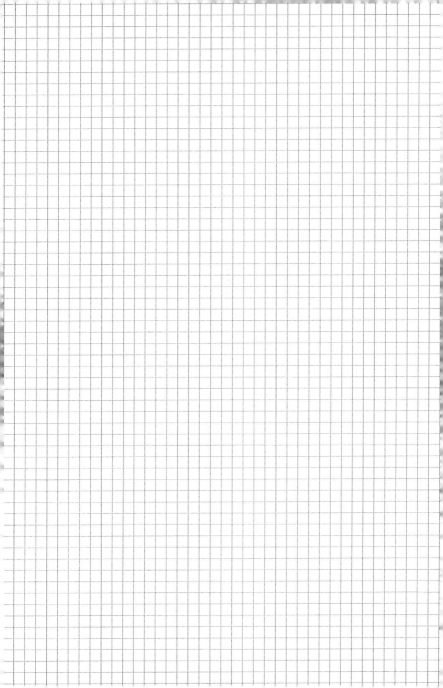

ガディサール湖

0km　　　　　　　　　　　　　1km

N

ガディサール湖拡大

N

0m　　　　　　　　　　　　　500m

新市街

N

0m   500m

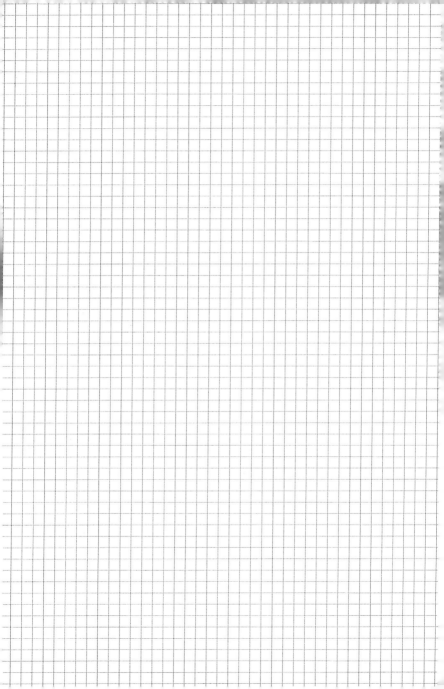

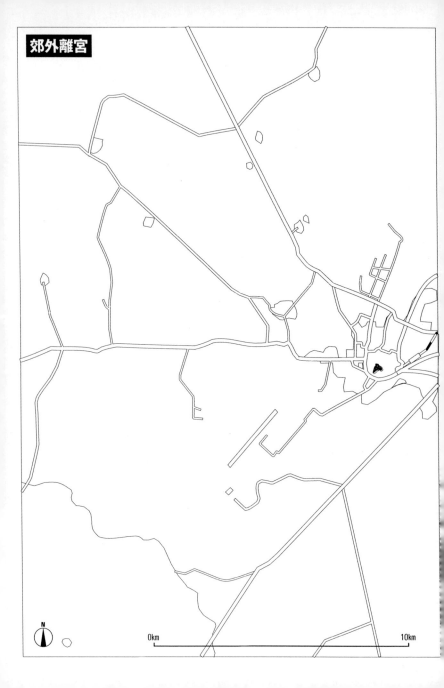

郊外離宮

N

0km   10km

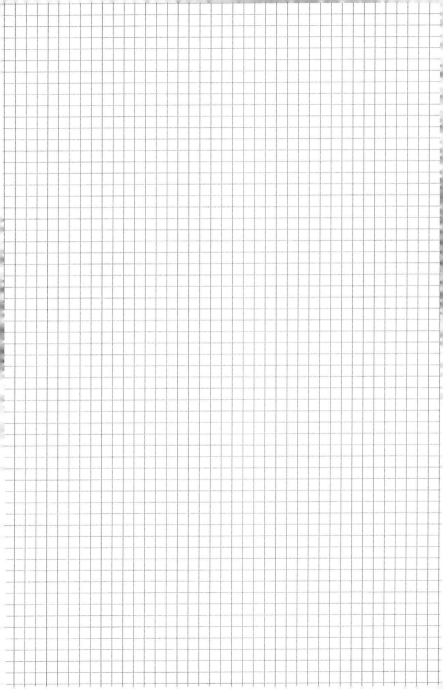

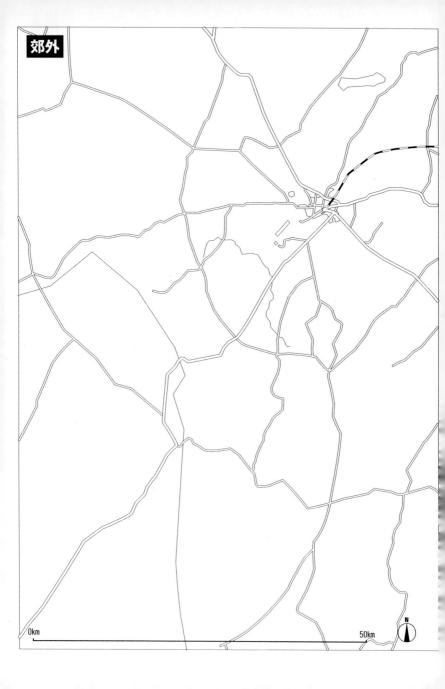

郊外

0km　　　　　　　　　　　　　　　　　　　　　50km

N

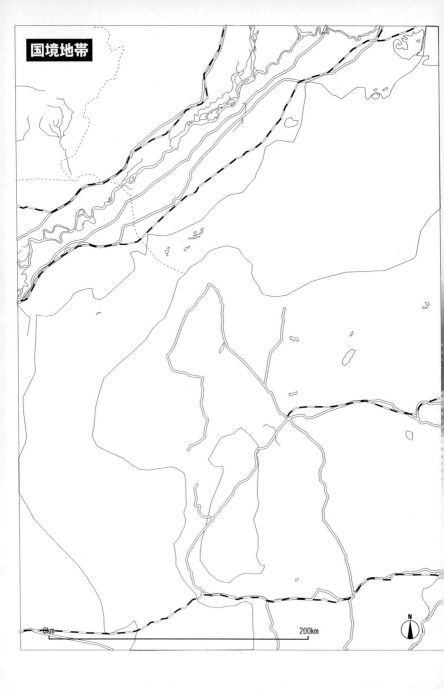

国境地帯

0km 200km

N

【車輪はつばさ】

南インドのアイラヴァテシュワラ寺院には
建築本体に車輪がついていて
寺院に乗った神さまが
人びとの想いを運ぶと言います

An amazing stone wheel of the Airavatesvara Temple
in the town of Darasuram, near Kumbakonam in the South India

まちごとインド
西インド 004

ジャイサルメール
砂漠に浮かぶ「黄金都市」
［モノクロノートブック版］

「アジア城市(まち)案内」制作委員会
まちごとパブリッシング
http://machigotopub.com

・本書はオンデマンド印刷で作成されています。
・本書の内容に関するご意見、お問い合わせは、発行元の
　まちごとパブリッシング info@machigotopub.com までお願いします。

まちごとインド
新版 西インド004ジャイサルメール
　～砂漠に浮かぶ「黄金都市」

2020年11月28日　発行

著　者　　「アジア城市（まち）案内」制作委員会
発行者　　赤松　耕次
発行所　　まちごとパブリッシング株式会社
　　　　　〒181-0013　東京都三鷹市下連雀4-4-36
　　　　　URL http://www.machigotopub.com/
発売元　　株式会社デジタルパブリッシングサービス
　　　　　〒162-0812　東京都新宿区西五軒町11-13
　　　　　　　　　　　清水ビル3F

印刷・製本　株式会社デジタルパブリッシングサービス
　　　　　URL http://www.d-pub.co.jp/

MP327

ISBN978-4-86143-479-2 C0326　　　　Printed in Japan